UNE BREVE
HISTOIRE
— DE —
L'ECOSSE

❖

RICHARD KILLEEN

GILL & MACMILLAN

À
DRK
avec mon admiration et ma gratitude

Texte: Richard Killeen
Rédactrice: Fleur Robertson
Conception: Triggerfish, Brighton
Production: Ruth Arthur, Neil Randles,
Karen Staff, Paul Randles
Directeur of Production: Gerald Hughes
Adaptation Française: Beatrice's Guiding
and Translating Services

Edité en Ireland by
Gill & Macmillan Ltd,
Goldenbridge, Dublin 8
avec la participation de compagnies
associées dans le monde entier

CLB 4994
© CLB International, a division of
Quadrillion Publishing Limited
Godalming, Surrey,
England

ISBN 0 7171 2646 3
Imprimé et relié en Singapore

TABLE DES MATIÈRES

PRÉFACE
page 4

CARTES
page 5

1. L'ECOSSE PRÉHISTORIQUE
page 8

2. LES CELTES
page 10

3. L'ECOSSE ROMAINE
page 12

4. LES PICTES ET LES SCOTS
page 14

5. LE CHRISTIANISME
page 16

6. KENNETH MACALPIN
page 18

7. LES VIKINGS
page 20

8. MALCOLM ET MARGARET
page 22

9. LES LOWLANDS NORMANDES
page 24

10. CONSOLIDATION ET CRISE
page 26

11. L'ÉCRASEMENT DES ECOSSAIS
page 28

12. L'INDÉPENDANCE
page 30

13. REVERS DE FORTUNE
page 32

14. LES PREMIERS STUART
page 34

15. LA FIN DU MOYEN-AGE
page 36

16. LE DÉBUT DE LA RÉFORME
page 38

17. LE TRIOMPHE PROTESTANT
page 40

18. MARIE REINE D'ECOSSE
page 42

19. L'UNION DES COURONNES
page 44

20. LE COVENANT NATIONAL
page 46

21. LA GUERRE CIVILE
page 48

22. CROMWELL ET CHARLES II
page 50

23. LE TRIOMPHE PRESBYTÉRIEN
page 52

24. GLENCOE
page 54

25. L'ACTE D'UNION
page 56

26. L'ANNÉE 1715
page 58

27. BONNIE PRINCE CHARLIE
page 60

28. A L'ÂGE DES LUMIÈRES
page 62

29. LES EXPULSIONS
page 64

30. LA RÉVOLUTION INDUSTRIELLE
page 66

31. LE VINGTIÈME SIÈCLE
page 68

INDEX
page 70

PRÉFACE

Cette petite histoire de l'Ecosse tente de faire un tour d'horizon du passé de l'Ecosse de manière aussi objective que complète. Elle n'implique aucune connaissance préalable de la part du lecteur.

Le caractère singulier de l'Ecosse est reconnu depuis au moins le début du Moyen-Age et son statut de nation séparée n'a fait aucun doute à partir du XIVe siècle. Comme je me suis efforcé de le démontrer, on peut même remonter au IXe siècle, époque où le royaume des Scots s'est trouvé consolidé et fermement établi.

D'autre part, les tensions entre les différentes parties de l'Ecosse, surtout entre les Lowlands (Terres-basses) et les Highlands (Terres-hautes) – en soi dues à des facteurs géographiques – font aussi partie de l'histoire. Tout comme l'Ecosse est distincte, elle abrite des diversités dans son sein. En plus, ses longues côtes en font un pays sujet aux influences venues de la mer. L'ouest gaélique et le nord Viking en furent la preuve; pourtant ce sont les influences venues du sud par l'intérieur – surtout à partir de l'époque des Normands – qui se révélèrent encore plus déterminantes.

L'histoire de l'Ecosse a inspiré de nombreuses légendes et une mythologie importante. Les légendes et les mythes sont antérieurs à l'histoire et sans eux il n'y aurait peut-être pas du tout d'histoire. Toute nation en a besoin; ils satisfont l'imagination. Mais ils peuvent aussi prendre de grandes libertés avec les faits historiques. Les vies de Robert Bruce, de Marie Reine d'Ecosse, de John Knox et de Bonnie Prince Charlie – pour ne nommer que les plus connus – ont été romancées par les auteurs, les cinéastes et autres vulgarisateurs. En m'efforçant de m'attacher aux faits, je veux prouver au lecteur que l'histoire fait, à mon sens, un récit tout aussi fascinant que n'importe quel mythe ou légende.

L'ECOSSE VERS 1000 APR. J.-C.

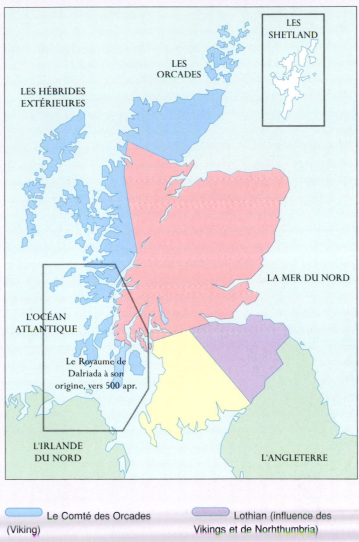

LES SHETLAND

LES ORCADES

LES HÉBRIDES EXTÉRIEURES

LA MER DU NORD

L'OCÉAN ATLANTIQUE

Le Royaume de Dalriada à son origine, vers 500 apr.

L'IRLANDE DU NORD

L'ANGLETERRE

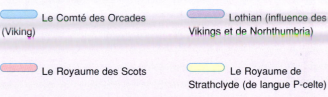

Le Comté des Orcades (Viking)

Lothian (influence des Vikings et de Norhthumbria)

Le Royaume des Scots

Le Royaume de Strathclyde (de langue P-celte)

L'ÉCOSSE

LES HÉBRIDES
EXTÉRIEURES

LES ORCADES

Skara Brae (Néolithique)

Maes Howe (Néolithique)

LES SHETLAND

Mousa (Age du fer)

Strath Naver

Strath of Kildonan

LA MER DU NORD

Inverness

Peterhead

KEY

1. La colline de Cairnpapple (Néolithique)

2. La bataille de Mons Graupius (84 apr. J.-C.)

3. La bataille de Nechtansmere (685)

4. Dumbarton

5. Dunadd

6. Scone

7. La bataille de Carham (1018)

8. Elgin

9. Largs

10. Falkirk

11. La bataille de Bannockburn (1314)

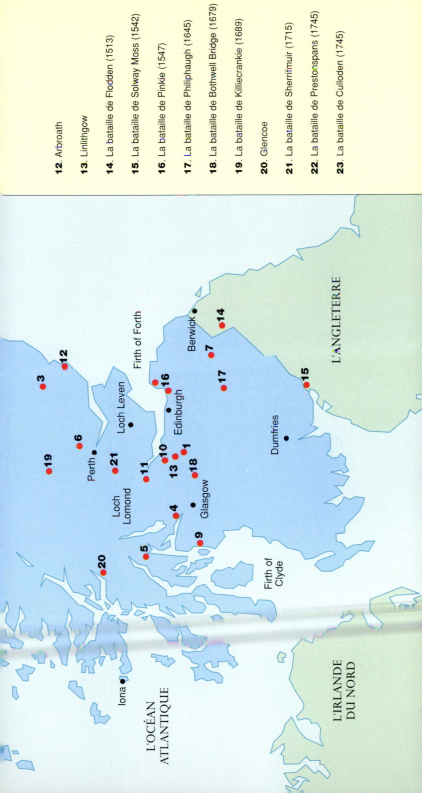

12. Arbroath

13. Linlithgow

14. La bataille de Flodden (1513)

15. La bataille de Solway Moss (1542)

16. La bataille de Pinkie (1547)

17. La bataille de Philiphaugh (1645)

18. La bataille de Bothwell Bridge (1679)

19. La bataille de Killiecrankie (1689)

20. Glencoe

21. La bataille de Sherrifmuir (1715)

22. La bataille de Prestonspans (1745)

23. La bataille de Culloden (1745)

L'ANGLETERRE

Firth of Forth

Berwick

Loch Leven

Edinburgh

Dumfries

Perth

Loch Lomond

Glasgow

Firth of Clyde

Iona

L'OCÉAN ATLANTIQUE

L'IRLANDE DU NORD

1. L'ECOSSE PRÉHISTORIQUE

Comme tout le nord-est de l'Europe, l'Ecosse fut graduellement peuplée par des tribus nomades venues du Sud à la fin de la dernière glaciation, environ 9 000 ans avant notre ère. Ces peuples, dont on sait peu, vivaient de la cueillette et de la chasse et s'installèrent, pense-t-on, dans les régions côtières les plus accessibles de l'est du Firth of Forth au Firth of Moray et dans les Hébrides extérieures.

Skara Brae

Le fait que ces peuples mésolithiques s'installèrent dans ces régions reflète déjà les deux caractéristiques physiques importantes qui influencèrent l'histoire de l'Ecosse. La première c'est que la mer jouait un rôle de voie de circulation et non de barrière. Les vraies limites au mouvement se trouvaient à l'intérieur des terres où le massif des Highlands rendait difficiles – sinon quasi impossibles – les communications par voie de terre. La deuxième, c'est l'importante division géographique qui existait déjà et qui existe toujours entre les Highlands et les Lowlands et qui a marqué l'histoire de l'Ecosse culturellement, linguistiquement et politiquement.

Les premiers peuples dont nous avons une preuve tangible de la présence en Ecosse sont ceux du Néolithique, ou nouvel âge de pierre, qui commencèrent à arriver aux environs de 4500 av. J.-C.. Leur mouvement progressif vers le nord les conduisit vers les îles britanniques, suivant la route de leurs prédécesseurs mésolithiques. Ils purent s'implanter en communautés permanentes car ils possédaient les connaissances nécessaires à la culture des céréales, à l'élevage et à la pêche.

Cette incursion néolithique n'était pas particulière à l'Ecosse qu'il ne faut pas considérer comme une entité séparée, mais comme une entité à l'intérieur des îles britanniques. L'histoire nous éclairera sur les évènements qui contribuèrent à donner à l'Ecosse son identité distincte et son statut actuel de nation indépendante. Pour le moment, il nous suffit de noter que l'Ecosse néolithique nous a laissé un important patrimoine comme la sépulture à couloir à Maes Howe dans les Orcades qui remonte à environ 3 000 av. J.-C.. Sa similarité avec des tombes à couloir en

Maes Howe

Irlande et au Pays de Galles confirme une culture commune.

Le cercle de pierres levées de Brogar, vestige préhistorique sur les Orcades

Les autres vestiges archéologiques qui témoignent de la nature sédentaire des sociétés de l'âge de pierre sont Skara Brae dans les Orcades – un des meilleurs exemples d'organisation domestique néolithique dans toute l'Europe – et la Colline de Cairnpapple dans le West Lothian. Ce site fût occupé par une succession de peuplades, à partir de l'époque néolithique – environ 3 000 av. J.-C.- jusqu'à l'âge de bronze

puis l'âge de fer qui commença en Ecosse aux environs de 700 av. J.-C..

L'âge de bronze confirma la tendance déjà bien établie d'une culture commune aux îles occidentales du continent européen. L'Ecosse n'avait pas d'identité separée, pas plus que l'Angleterre ou le Pays de Galles. Pourtant, les ornements en bronze provenant de l'ensemble des îles britanniques étaient recherchés comme des produits de luxe sur le continent européen, et certains d'entre eux provenaient sans aucun doute d'Ecosse.

L'âge de bronze fit place à l'âge de fer qui amena une autre vague d'envahisseurs venus du centre de l'Europe, les Celtes. Les Celtes balayèrent tout sur leur passage grâce à la supériorité que leur donnait, surtout pour la fabrication des armes, leur technologie avancée de la fonte du fer.

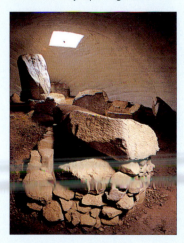

La colline de Cairnpapple

2. LES CELTES

Avec les Celtes de l'âge de fer, nous commençons notre marche hors de la préhistoire. Mais ce n'est qu'à partir de l'arrivée des Romains dans l'île de Bretagne, au 1er siècle de notre ère, que nous possédons des preuves écrites sur lesquelles nous pouvons fonder notre connaissance. Les documents romains nous laissent une description des sociétés qu'ils trouvèrent sur l'ensemble de l'île. C'étaient des sociétés tribales dirigées par des aristocraties militaires; elles parlaient des langues gaéliques et construisaient des positions fortifiées afin de protéger les populations non militaires. Leur art utilisait des techniques et des motifs similaires à ceux des sociétés celtes du continent.

Il existait dans le monde celte une division de grande portée pour le cours de l'histoire écossaise. La langue celte originale s'était divisée en deux branches, le P-celte et le Q-celte. Lorsque le phonème P existait dans une forme, il correspondait au phonème Q ou K dans l'autre forme. Les Celtes qui s'étaient installés dans l'île de Bretagne parlaient le P-celte alors que ceux qui s'étaient installés en Irlande parlaient le Q-celte. On ignore s'ils se comprenaient et s'il pouvaient communiquer, bien qu'on sache que les deux langues se sont de plus en plus éloignées au cours des siècles.

Avant l'arrivée des Romains sur l'île qu'on appelle maintenant la Grande-Bretagne, des pratiques se mettaient en place qui sont encore suivies de nos jours. Les basses terres des plaines fertiles du sud de la Trent et de l'est de la Severn étaient en plein essor économique et démographique. Ces régions de l'île de Bretagne celte étaient les plus proche de leurs cousines continentales et, par conséquent, les mieux placées pour les échanges commerciaux. Des villes comme St Albans et Colchester datent de l'époque celte.

C'étaient aussi les régions les mieux placées pour les nouveaux migrants, les nouvelles idées et les nouvelles technologies. Les villes se développèrent dans le sud, construites pour le commerce plutôt

△ Le broch de Birsay, vestige Viking sur les Orcades

▽ Rousay, broch du 1er siècle sur Orcades

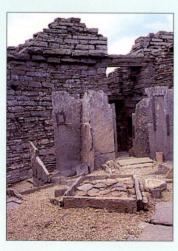

Une vue aérienne du broch d'Edin's Hall dans les Borders

qu'uniquement pour la défense et à même d'établir un contrôle politique sur de très larges étendues. L'expansion des régions les plus au nord et les plus élevées, y compris l'Ecosse, était plus lente. Dans les régions montagneuses du Nord, les forts construits sur le haut des collines restèrent la norme. C'était une société tribale, locale, fondée sur des rapports sociaux réguliers et étroits.

Ce contraste dans l'île de Bretagne celte entre les plaines du sud et les régions montagneuses du nord était dû en grande partie à des facteurs géographiques: une bonne terre plate et la proximité du continent étaient des facteurs déterminants de croissance. Néanmoins, n'importe

Le broch de Mousa dans les Shetland

quel écossais moderne sourirait ironiquement à l'idée même d'un modèle déjà présent à l'aube de l'histoire, car c'est un thème qui revient régulièrement dans les relations Ecosse-Angleterre.

Les vestiges de cette periode de l'âge de fer ne sont pas nombreux dans le nord de la Grande-Bretagne. Existent tout de même les célèbres brochs, grandes tours de pierres sèches construites en général près de la côte et qu'on ne trouve qu'en Ecosse. Le plus bel exemple se trouve sur l'île inhabitée de Mousa dans l'archipel des Shetland. La fonction de ces constructions était probablement défensive.

Mais les celtes de l'île de Bretagne étaient sur le point de rencontrer une force contre laquelle la distance était la seule defense. En 43 après J.-C. le général romain, Claudius accosta au sud de l'île avec une armée de conquête. Fin 70, les romains avaient déjà conquis l'actuelle Angleterre et le Pays de Galles jusqu'aux Monts Cheviot. Un nouvel empereur fut alors nommé qui jeta son dévolu sur les terres les plus septentrionales. Son nom était Gnaeus Julius Agricola.

3. L'ECOSSE ROMAINE

Nous avons la chance de bien connaître Agricola car sa fille était mariée au grand historien Tacite qui nous a laissé une biographie sur lui. Né en Gaule, il servit dans l'île de Bretagne comme jeune officier; il connaissait donc bien le pays lorsqu'il revint pour en prendre le commandement.

En 80 et 81 il lança ses légions vers les Monts Cheviot. Une colonne occidentale marcha sur Annandale, tandis qu'une colonne orientale marchait sur Lauderdale. Bien que les tribus celtes fussent au courant de leur avancée, elles ne s'unirent pas pour les combattre. Les Celtes, caractérisés par leur autonomie locale, ne surent pas combiner

▷ *Un buste de l'empereur Hadrien*

▽ *Le Mur d'Hadrien à Cuddy's Cragg dans le Northumberland*

leurs forces et leur connaissance intime du terrain pour lutter contre l'invasion romaine. Conséquence: les deux branches de l'armée d'Agricola se rejoignirent à Inveresk, sur le Firth of Forth, juste à l'est de ce qui est maintenant la ville d'Edimbourg.

De cette position, il fut facile à Agricola de prendre le pays sud de la ligne Clyde-Forth, y compris Galloway, où les tribus locales étaient particulièrement belliqueuses. En 83 il continua en direction du nord, le long de la côte est, et, l'année suivante il remporta une bataille décisive contre les tribus des Highlands à l'endroit que Tacite – qui est notre seule source pour cet évènement – appelle Mons Graupius. C'était sans doute Bennachie près de la ville actuelle d'Inverurie dans le Aberdeenshire.

Ce fut le haut point de la conquête romaine. Agricola fut rappelé à Rome peu

Les ruines du Mur d'Antonin

tentative de conquête de l'Ecosse. Les tribus celtes continuèrent à attaquer les frontières septen- trionales de l'Empire pendant les longues années du déclin de Rome. En 410, les Romains se retiraient complètement de l'Ile de Bretagne.

Quel leg ont-ils laissé à l'Ecosse? D'abord la notion de séparation: le mur d'Hadrien fut un frontière pure et simple. Ensuite, ce fut la confirmation de la scission entre les Lowlands – Basses terres – et les Highlands – Hautes terres – : Agricola conquit les premières, laissant les autres intactes. Troisièmement le mot Caledonia utilisé par Tacite pour décrire les terres nord de Forth. Enfin, le nom de Pictes l'un des mots les plus railleurs de l'histoire de l'Ecosse C'est un mot romain originaire du mot latin Picti, personnes peintes, et

après et aucun autre effort ne fut fait pour déloger les tribus de leurs places fortes des Highlands. La ligne de fortifications qu'Agricola avait construite pour les contenir fut laissée à l'abandon. La présence romaine en Ecosse du sud diminua graduellement jusqu'à la visite, en 122, de l'Empereur Hadrien qui ordonna la construction du grand mur qui porte son nom, le long de la ligne Solway-Tyne, et qui marquait la frontière nord de l'Empire.

Quelles qu'en soient les raisons – sans doute la pression des tribus au nord du Mur d'Hadrien -, le successeur imperial d'Hadrien, Antonin le Pieux, ordonna une nouvelle invasion. L'histoire se répéta: les Romains conquirent la ligne de la Clyde au Firth of Forth, construisant un mur de défense appelé le mur d'Antonin qui fut entretenu jusqu'en 160, puis abandonné.

A part une brève incursion au début du IIIe siècle, il n'y eut aucune autre

Dere Street, une route romaine des Borders

décrit sans doute la pratique de peinture du visage avant une bataille. En tout cas, les romains l'utilisèrent pour décrire les tribus de Calédonie. Comme nous le verrons nous en savons peu sur les Pictes ou sur leur disparition de l'histoire aux environs du IXe siècle.

4. LES PICTES ET LES SCOTS

Dans le vide laissé par le retrait romain de l'île de Bretagne, on n'assista pas à un retour en force des Celtes mais à une invasion germanique. Ces Anglo-Saxons occupèrent petit à petit tous les territoires qui avaient été occupés par les Romains au sud de Forth, sauf le Pays de Galles, la Cornouaille et le Strathclyde où les cultures P-celtes étaient encore présentes. Le nord de Forth était encore dominé par les Pictes.

Dans le même temps, des peuples

Symbole picte, broch de Birsay sur les Orcades

venus du Royaume de Dalriada au nord-est de l'Irlande s' établissaient en Argyll (Du Gaelique Oirear Gael, côte des Gaëls) qu'ils appelèrent aussi Dalriada: une fois encore la mer était une voie de communication, pas une barrière. Les Romains qui connaissaient l'Irlande, bien qu'ils ne l'eussent jamais envahie, appelèrent ces envahisseurs les Scotti (Celtes d'Irlande), d'où le nom anglais de « Scots » pour les habitants et « Scotland » pour le pays. Les Dalriadiens, comme tous les Celtes irlandais parlaient le Q-celte ou gaélique qui se trouvait donc ainsi introduit en Ecosse continentale. Mais ils n' apportèrent pas que leur langue, ils apportèrent aussi le Christianisme.

L'histoire de l'Ecosse, entre le départ des Romains et l'arrivée des Vikings à la fin du VIIIe siècle, présente trois thèmes liés: d'abord l'échec des tribus anglo-saxonnes nouvellement arrivées à pénétrer le territoire picte; le second est l'établissement progressif, la consolidation et l'expansion des peuples de langue gaélique de Dalriada aux dépens des Pictes; c'est enfin la propagation du Christianisme.

Les Anglo-Saxons suivirent la route d'invasion classique de la côte est en traversant le Northumbria et jusqu'au Lothian. Le VIIe siècle les trouvait établis jusqu'à Forth. Ils s'étaient affrontés avec les royaumes de Strathclyde (P-Celtes) puis de Dalriada (Q-celtes). Mais s'ils repoussèrent inexorablement vers l'ouest et le sud les frontières du premier, ils n'essayèrent pas d'envahir le second. Leurs rapports avec les Dalriadiens étaient en fait complexes car Dalriada était devenu le centre de la Chrétienté dans les régions septentrionales de l'île de Bretagne et de nombreuses tribus anglo-saxonnes avaient été évangélisées à partir de l'île d'Iona.

Quelle que soit leur attitude vis à vis des divers groupes celtes de

Fourreau picte datant du VIIIe siècle

Un guerrier picte nu, vu par un graveur anglais du XVIe siècle

l'ouest, les anglo-saxons n'avaient aucun scrupule vis-à-vis des Pictes au nord de leurs territoires. Tout comme Agricola quelques 6 siècles auparavant, ils traversèrent le Forth et le Tay et livrèrent bataille à Nechtansmere, près de la ville actuelle de Forfar, en 685. Ils n'allèrent pas plus loin: les Pictes leur infligèrent une défaite écrasante. Les Anglo-Saxons ne renouvelèrent plus leurs assauts sur les territoires pictes, ils se contentèrent de leurs implantations en Lothian et dans les parties orientales de Strathclyde qu'ils avaient capturées. Une fois de plus la coupure était nette entre Highlands et Lowlands: les Highlands demeurèrent place forte alors que les Lowlands devenaient une extension des territoires de Northumbria.

Finalement, ce n'est pas du sud que vint la poussée sur les Pictes mais de l'ouest. Les Scotti de Dalriada infiltrèrent graduellement les territoires pictes et s'implantèrent dans l'ensemble des Highlands. Les Gaéliques déplacèrent les Pictes.C'est à ce point de l'histoire que les Pictes disparaissent. Ce n'est pas qu'ils se volatilisèrent, mais, à partir de ce moment, leurs descendants sont appelés les Scots (Ecossais) comme s'ils étaient des Dalriadiens. On dit que l'histoire écossaire pose encore deux questions non résolues qui sont : "Qui exactement étaient les Pictes?" et "Que leur est-il arrivé ?" Ce qui est certain, c'est que le plus petit a absorbé le plus gros : le serpent a avalé le cochon.

Le troisième développement des années 400-800, l'arrivée du Christianisme, nécessite qu'on lui consacre un chapître.

Le fort de Dunadd en Argyll, une des premières places fortes de Darialda

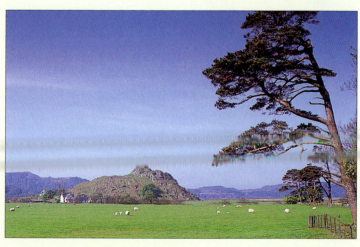

5. LE CHRISTIANISME

Le premier missionnaire connu en Ecosse, Saint Ninian s'établit en Galloway au début du Ve siècle. Sa mission auprès des Pictes le mena peut-être jusqu'aux Orcades, mais nous manquons de preuves. De plus, son influence fut courte.

Il en fut tout autrement de son illustre successeur, St Colomba qui laissa sa marque indélébile sur la terre qu'il évangélisa à la foi chrétienne. C'était un Gaël d'Irlande, un aristocrate de souche dalriadienne qui fonda nombre de monastères dans son pays avant de traverser la mer pour l'Ecosse en 563. Plusieurs raisons ont été

△ *Détail d'une frise du XIXe siècle sur l'histoire de l'Ecosse représentant St Ninian, le premier missionnaire chrétien*

▽ *Vitrail représentant St Colomba*

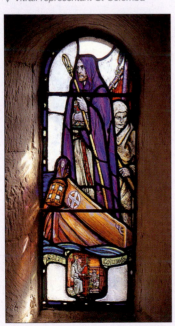

données à son départ d'Irlande. La légende populaire raconte qu'il provoqua une discorde qui tourna en une bataille formidable et que, pris de remords, il décida de partir loin des côtes d'Irlande et de sauver autant d'âmes à la cause de Christ que d'hommes morts en bataille.

Il s'installa sur la petite île de Iona, au large de l'île de Mull, hors de vue des côtes d'Irlande. C'est à partir de cette base isolée qu'il entreprit la tâche invraisemblable d'évangélisation de masse des Pictes, aidé par l'amitié de Brude mac Maelchon, le roi picte qui résidait à Inverness. Colomba était assez habile pour prêcher un Christianisme qui fût compatible avec les croyances pictes, construisant des églises sur les lieux sacrés et adaptant les fêtes pictes au calendrier de l'église chrétienne.

Son influence s'étendit bien au-delà des territoires pictes. Columba envoya ses moines dans les Lowlands et en Northumbria, prêchant le Christianisme aux tribus anglo-saxonnes qui s'y étaient installées. Une des grandes ironies de la conquête anglo-saxonne en Angleterre, c'est que ces conquérants germaniques étaient païens alors que les peuples celtes qu'ils avaient déplacés et repoussés vers l'ouest avaient déjà été christianisés à l'époque romaine. Le Christianisme était donc maintenant réintroduit dans le nord-est de l'Angleterre par des moines irlandais basés en Ecosse. L'influence de Colomba se fit même sentir beaucoup plus au sud: parmi les premiers évêques de Mercia (à peu près les Comtés anglais actuels de Cheshire, Staffordshire et Shropshire) trois d'entre eux étaient, ou bien Irlandais, ou avaient été éduqués en Irlande.

Colomba mourut sur Iona en 597 au terme d'une mission qui dura 34 ans. En cette même année, à l'autre extrémité de l'île de Bretagne, l'Italien Saint Augustin arrivait de Rome avec un groupe de quarante moines chargés par le Pape Gregoire Ier de convertir les Anglo-Saxons au Christianisme et de les intégrer à l'Eglise de Rome. Il devint le premier Archevêque de Canterbury.

Pendant ce temps, en Ecosse, le travail de conversion était déjà accompli. Toutefois, la lointaine Eglise de Colomba n'était pas conforme aux préceptes de l'Eglise de Rome sur un certain nombre de points importants comme le calcul de la date de la fête de Pâques. Ce fut l'occasion de frictions d'autant que l'évangélisation augustinienne gagnait vers le nord. Finalement, le Synode de Whitby en 664 réussit à obtenir des concessions des moines de Colomba. Mais la vigueur et l'intégrité de son Eglise devaient survivre en Ecosse pendant encore près de 500 années.

△ *Une croix du début de l'ère chrétienne*

St Augustin, le premier Archevêque de
▽ *Canterbury*

6. KENNETH MACALPIN

De la mort de Colomba au règne de Kenneth Ier s'écoulèrent 250 ans environ. Durant cette période, l'héritage de Colomba donna une culture religieuse commune aux peuples du nord de la Tweed. Les Scots de Dalriada, les Pictes au nord la ligne Forth-Clyde, les habitants de Strathclyde de langue P-celte et les Anglo-Saxons des régions limitrophes, tous étaient chrétiens. Ce fut l'arrivée d'une nouvelle force importune et non chrétienne qui allait causer les bouleversements qui s'ensuivirent.

△ Il n'existe aucune représentation de Kenneth MacAlpin datant de son époque. Il est imaginé ici par un graveur du XIXe siècle

Lindisfarne, Ile Sacrée, au large des côtes du Northumberland

Les Vikings firent irruption dans l'histoire de l'Ecosse en 793 quand ils détruisirent le célèbre monastère de Lindisfarne, au large de la côte de Northumbria. L'année suivante, ils pillaient Iona, détruisant sa célèbre bibliothèque. Durant les premières années du IXe siècle, ils maintinrent leur pression incessante sur Dalriada, repoussant les Scots vers l'est.

Durant la même période, les Pictes subirent le poids des raids Viking. Les Orcades et les Shetland furent parmi les premières victimes et les envahisseurs réussirent à fonder des colonies dans l'extrême nord et dans les Hébrides.

Les Scots et les Pictes avaient donc de bonnes raisons pour se rapprocher: c'étaient deux peuples chrétiens menacés par un ennemi païen commun. Mais cette union apparente fut en réalité une prise de pouvoir par les Scots. Les Pictes connurent une défaite spectaculaire aux mains des Vikings en 839 qui les laissa à la merci des ambitions des Scots. Ces ambitions étaient personnifiées par Kenneth MacAlpin (Cionnaith mac Ailpin) qui monta sur le trône de Dalriada la même année.

Nous ignorons par quels moyens il réussit à devenir également roi des Pictes 4 ans plus tard. Il abandonna immédiatement l'ancienne capitale de Dunadd, juste au nord de la ville actuelle de Lochgilphead en Argyll, et s'installa dans l'ancien centre picte de Scone en Perthshire. De Iona, il rapporta les restes de Saint Columba qu'il ré-enterra au Monastère de Dunkeld. Il rapporta également la célèbre Pierre du Destin, un bloc de grès rose qui aurait servi d'oreiller au Jacob de la Bible et de table de travail à Saint Columba. Durant les 4 siècles et demi qui suivirent, ce fut la pierre de couronnement des Scots jusqu'à ce qu'elle soit volée par le Roi d'Angleterre Edouard Ier.

Kenneth fit de Scone et Dunkeld – qui se trouvent à 32km l'une de l'autre – respectivement les capitales civile et ecclésiastique de son nouveau royaume unifié. Le triomphe des Scots cache sans aucun doute la résistance picte. Bien que nous n'ayons aucun chiffre, il est permis de penser que les Pictes étaient bien plus nombreux, ce qui rend leur absorbtion finale d'autant plus mystérieuse. Pourtant, ils furent bel et bien anéantis par les Gaëls. Un des facteurs fut sans doute la place privilégiée de la langue gaélique – la langue de Darialda – dans l'Ecosse chrétienne et considérée par conséquent comme la langue de l'érudition et de la culture. Son remplacement spectaculaire de la langue picte n'en est pas moins remarquable. Le gaélique devint la langue officielle de la Cour, des lois et du commerce.

Kenneth MacAlpin fut le premier roi d'Ecosse et il est, de ce fait, l'ancêtre commun de tous les rois écossais des 500 ans qui suivirent. Mais il n'était pas le roi de toute l'Ecosse actuelle. Il n'établit jamais son pouvoir ni dans les Borders que les Anglo-Saxons de Northumbria continuèrent à contrôler, ni dans l'ancien royaume de Strathclyde, dont pourtant les Scots capturèrent Dumbarton en 870. Mais le vrai danger pour le nouveau royaume d'Ecosse ne venait pas du sud mais du nord. Car c'est du nord qu'arrivèrent, vague après vague, les Vikings. Peu de peuples ont laissé une marque aussi profonde sur l'histoire de l'Ecosse.

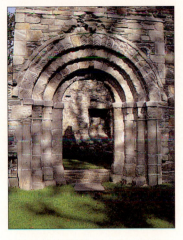

Le prioré de Whithorn en Dumphries, le centre de la mission chrétienne en Ecosse de St Ninian au Ve siècle. Ce bâtiment date du XIIe siècle

L'abbaye de Iona

7. LES VIKINGS

La force des Vikings leur vint de la technologie. C'étaient d'extraordinaires marins qui possédaient le génie de la construction navale. Leurs drakkars étroits à faible tirant d'eau étaient les bateaux les plus rapides et les plus manoeuvrables de leur époque, capables non seulement de couvrir de longues distances mais aussi de transporter des hommes d'armes dans des pays éloignés. Ils sillonnèrent tout le nord-ouest de l'Europe: s'il exista un peuple qui utilisa la mer comme voie de communication, c'est bien les Vikings. Ils conquirent la plus grande partie de l'est de l'Angleterre, ils fondèrent toutes les villes côtières d'Irlande, ils colonisèrent la Normandie et la plus grande partie du littoral balte, ils fondèrent le plus ancien centre de commerce à l'intérieur de la Russie, Novgorod. Ils découvrirent sans doute l'Amérique du Nord. Et, en Ecosse, ils s'installèrent dans l'extrême nord et les îles.

△ Le bateau Gokstad, un bon exemple de drakkar viking

▽ Les vestiges viking de Jarlshof sur les Shetland

Les Vikings anéantirent complètement la culture picte dans les Orcades et les Shetland et sur le continent écossais dans le Sutherland et le Caithness. Le nom "Sutherland" est lui-même d'origine scandinave, il signifie tout simplement "terre du sud". Le Nord de l'Ecosse est jonché de noms de lieux d'origine scandinave, tout comme le sont les Hébrides et les îles occidentales dont la proximité les unes des autres les

Une broche Viking

d'Argyll. Le nom Somerled gaélicisé devint Somhhairle; anglicisé, il devint Sorley. L'héritage viking n'est peut être pas évident, mais il n'en existe pas moins.

Les Vikings qui s'installèrent en Ecosse étaient surtout d'origine norvégienne. Ils représentaient une nouvelle addition au mélange ethnique du nord de l'île de Bretagne, s'ajoutant aux Scots, aux Pictes, aux Northumbriens et aux P-Celtes de Strathclyde. En l'année 1000 après J.-C., l'Ecosse d'aujourd'hui n'était encore qu'à l'état d'embryon. Aucun des éléments déterminants qui dicteraient la suite de l'histoire n'était encore en place. Celle-ci

rendaient idéales pour des conquérants de la mer comme les Vikings.

La mer avait pour eux une importance capitale. Ils s'installèrent rarement à l'intérieur, à part à l'est de l'Angleterre avec ses grandes rivières navigables comme l'Humber, la Trent et la Tamise. En Ecosse, ils n'avancèrent pas au delà des Highlands et des îles. Ils n'essayèrent pas de conquérir le sud du royaume d'Ecosse, mais ils implantèrent des colonies prospères au nord. Peu à peu ils adoptèrent les coutumes gaéliques, parlant la langue, s'entremariant et reconnaissant un gouvernement royal basé sur le système de clans des Scots. (dont l'origine remonte d'ailleurs à l'époque picte). Certains des noms de clans écossais les plus célèbres comme MacDonald et MacDougal ne sont pas d'origine Gaélique mais Viking. Les premiers Donald et Dougal étaient les petit-fils d'un certain Somerled qui chassa les Dalriadiens gaéliques d'une partie

La reconstruction d'un drakkar viking en mer

aurait pû suivre un tout autre cours avec, par exemple, les colonies Viking des Highlands et les îles rattachées à un Empire maritime scandinave plus étendu; un royaume écossais dans l'ancien coeur du sud picte au nord de la ligne Forth-Clyde et au sud du Caithness et du Sutherland; ou encore un domaine d'influence anglaise allant jusqu'au Firth of Forh, ce qui aurait été dans l'ordre des choses si l'on considère l'histoire écossaise jusqu'à ce point, surtout concernant les Lowlands. Mais ce n'est bien sûr que conjoncture, les choses se passèrent tout autrement.

The placename 'Dingwall' near the Moray Firth is the same as 'Thingwall' on the coast of Lancashire, both names illustrating the influence of the Vikings in northern Britain.

Hugh Kearney

8. MALCOLM ET MARGARET

Le Royaume fondé par Kenneth MacAlpin en 843 était gaélique. L'une des coutumes les plus curieuses commune aux Gaëls d'Ecosse et d'Irlande, était l'organisation de la succession royale. Un roi pouvait avoir comme successeur tout membre mâle de sa famille descendant du même grand-père. Comparée aux règles de succession des anciens Pictes ou des Anglo-Saxons du sud où le trône passait au premier né de la lignée féminine et masculine respectivement, l'organisation des Scots pouvait

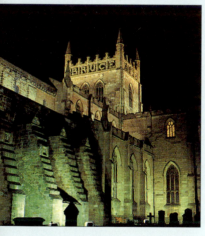

L'abbaye et le palais de Dunfermline, abbaye bénédictine fondée par la reine Marguerite

sembler étrange. Pourtant, il y avait une certaine logique derrière ces pratiques qui permettaient un système de "méritocratie".

Fatalement, le système donnait aussi lieu à des contestations de succession. Ainsi, entre Malcolm Ier et Kenneth III sept rois successifs moururent de causes violentes. Leurs règnes combinés ne durèrent pas plus de 62 ans.

Les Scots, finalement eurent un Roi qui reigna durant une génération, Malcolm II (1005-34). Il remporta la bataille de Carham (1018) contre les Anglo-Saxons du Lothian, conquérant de ce fait cette région tant désirée et étendant son royaume jusqu'à la Tweed. Il mit fin à l'autonomie de Strathclyde qui fit partie de l'héritage qu'il laissa à son petit-fils et successeur, Duncan Ier. Les Lowlands étaient pour la première fois Ecossaises.

Duncan était une forte tête. Il mena la malheureuse invasion du Northumbria qui se termina en désastre, puis il provoqua une sorte de guerre civile en menaçant les libertées régionales de son royaume. Les Scots, comme tous les peuples dont l'organisation est fondée sur le groupe aristocratique, tenaient à leur autonomie locale et se méfiaient d'une autorité centrale trop audacieuse. Duncan fut massacré au cours d'une bataille par Macbeth qui lui succéda et reigna avec sagesse de 1040 à 1057 (Le personnage de Macbeth que nous a laissé Shakespeare est une invention historique totale). Mais, lui aussi, connut une mort violente de la main d'un des fils de Duncan qui lui succéda sous le nom de Malcom III, connu dans l'histoire sous le nom de Malcolm Canmore (du Gaelique ceann mor, grosse tête).

Malcolm Canmore avait grandi en Angleterre et en Normandie, ayant fui l'Ecosse après la destitution de son père. Ses relations en Angleterre lui furent utiles pour se saisir du trône d'Ecosse, mais il ne leur en fut pas reconnaissant, envahissant le sud de la Tweed à plusieurs reprises. C'était un guerrier sauvage, buveur et rude. En 1070, il épousa une novatrice, Margaret, princesse de la maison royale anglo-saxonne qui avait été chassée quatre ans auparavant par la conquête normande. Elle introduisit les raffinements du sud à la cour d'Ecosse.

Plus important encore, elle introduisit la langue anglo-saxonne qui, avec le temps, devait devenir l'écossais des Lowlands. Elle devint langue officielle du royaume et langue d'usage des Lowlands jusqu'au XVIIIe siècle. A la grande indignation des habitants des Highlands, la langue gaélique commençait son lent déclin.

La reine embrassa aussi avec enthousiasme les réformes religieuses car elle déplorait les particularismes de l'Eglise d'Ecosse qui, isolée, suivait encore les règles de Colomba. Elle fut à l'origine du déclin de l'Eglise de Colomba, tout comme elle fut la cause du déclin de la langue gaélique. L'Eglise d'Ecosse devait suivre les règles de l'Eglise de Rome pendant plus de 4 siècles.

Malcolm Canmore mourut à la bataille en 1093 et sa remarquable Reine sembla perdre le goût de vivre. Grâce à ses réformes politiques, linguistiques et ecclésiastiques, elle avait placé l'Angleterre et l'Europe dans l'équation écossaise avec une détermination jamais vue auparavant. L'Angleterre, quant à elle, était devenue une extension de l'Europe car elle avait été conquise et colonisée par les Normands. Et ils se dirigeaient impitoyablement vers le nord.

△ *La croix de Kildalton sur l'île de Islay est le meilleur exemple de haute croix écossaise des IXe et Xe siècles*

▽ *La chapelle St Finian, à 8 km au nord-ouest de Fort William en Dumfries, lieu de pèlerinage datant de l'an 1000 après J.-C.*

9. Les Lowlands normandes

Les Normands étaient les descendants des conquérants vikings qui avaient colonisé la province de Normandie au IXe siècle. En Angleterre, leur invasion en 1066 est connue sous le nom de Conquête Normande. Colonisation est sans doute un meilleur terme, car on assista à l'installation d'une nouvelle élite de langue française pour dominer les populations indigènes. Ce fut surtout le cas dans les territoires normands d'Ecosse.

Les descendants de Malcolm III furent les instruments de l'implantation normande dans les Lowlands. Le nouveau royaume d'Ecosse était établi dans les Lowlands et était fortement influencé par les coutumes et les moeurs anglais. Il était donc impopulaire dans les Highlands. D'autre part, les rois des Lowlands désiraient que leur pouvoir s'étendît aussi loin que possible dans les Highlands et, pour ce faire, ils avaient besoin de l'aide militaire de l'Angleterre.

L'implantation normande dans les Lowlands fut, par conséquent, fondamentalement différente de celle de l'Angleterre. Elle se produisit, non pas par invasion mais par invitation royale. Elle fut encouragée par la monarchie écossaire qui désirait, avec une aide militaire, la modernisation d'un royaume archaïque.

Des quatre grandes institutions instaurées par les Normands en Ecosse, la féodalité fut la plus importante. Sous la féodalité, des terres étaient accordées en échange de fermage ou de service militaire. Cela présupposait que la personne qui faisait le don était propriétaire des terres. Le féodalisme était intrinsèquement hiérarchique et au sommet de cette hiérarchie se trouvait le roi. Mais un tel système, tout efficace et profitable qu'il fût pour les tenants du pouvoir, était tout à l'opposé du modèle

Le chateau de Bothwell, château normand du XIIIe siècle

Le château de Sween sur la rive est du Loch Sween, près de Tarbert en Argyll, est l'un des premiers châteaux de pierre construit par les Normands et date du milieu du XIIe siècle

de royauté et de propriété commune pratiqué dans les Highlands.

Les trois autres institutions normandes étaient également des outils de contrôle social. D'abord, il y avait le château fortifié qui défendait le nouvel ordre colonial et protégeait les grands par l'expression permanente de leur force écrasante. Deuxièmement, il y avait les villes et les bourgs à qui étaient accordées des chartes et qui étaient les centres de commerce et d'échange locaux. Enfin, il y avait l'église modernisée, entièrement en accord avec l'église de Rome.

Tous ces changements transformèrent les Lowlands en société organisée à la manière continentale avec un gouvernement et un système légal centralisés, une monnaie commune et une église romanisée. Les Highlands, pour leur part, gardèrent leur caractère gaélique traditionnel. Le gouvernement se faisait par l'intermédiaire du clan; la justice n'était pas administrée selon la culpabilité individuelle, mais sur le principe de responsabilité collective, avec la crainte d'ostracisme comme l'ultime garantie de bonne conduite. Les pratiques de l'église de Columba, comme le clergé marié, survécurent longtemps après qu'elles furent abolies dans les Lowlands.

La scission Highland-Lowland s'approfondit avec la lignée de rois Canmore et l'implantation normande. En particulier, la survivance du système de clans était un affront aux monarques écossais car ses principes de base étaient complètement étrangers aux principes de gouvernement royal centralisé. Mais, pour le moment et pour des siècles encore, les chefs de clans allaient rester maîtres des Highlands.

Cela peut paraître simpliste de

Détail de la Tapisserie de Bayeux montrant la mort du roi Harold à la Bataille d'Hastings, moment décisif de la conquête normande en Angleterre

considérer les Normands simplement comme des envahisseurs et des colonisateurs. Le pays que nous appelons l'Ecosse est plus leur création que celle des peuples des Highlands. Certains des noms de familles comme Fraser, Lindsay, Grant, Sinclair, Hamilton, Leslie et Lennox sont en fait des noms d'origine normande; il en est de même pour les deux maisons royales de Bruce et Stuart. Au XIIe siècle, l'Ecosse sous sa forme actuelle n'existait pas. Les Normands commencèrent sa tranformation en nation en s'imposant dans les Lowlands puis, dans la mesure du possible, en imposant les moeurs des Lowlands aux Highlands.

10. CONSOLIDATION ET CRISE

L'Ecosse normande ne représentait qu'une petite partie de l'Empire normand qui embrassait les Iles Britanniques, la Normandie et la vaste province française d'Aquitaine. Comme dans les autres parties des possessions normandes, une aristocratie parlant français était imposée à la population indigène parlant la langue locale. Dans les Lowlands c'était le Scot, dans les Highlands c'était le gaélique.

Toutefois, ces rapports n'étaient pas immuables. Tout comme les Vikings dans les Highlands s'adaptèrent aux coutumes gaéliques, les Gaëls eux sentirent l'impact du féodalisme qui eut une influence, sans toutefois remplacer les liens traditionnels d'allégeance, fondation de la société gaélique. Cela ne se fit, ni facilement, ni sans peines: il y eut de nombreuses rébellions locales dans les Highlands pour protester contre l'érosion des libertés et des pratiques traditionnelles et, dans certains cas, pour contester la légitimité même de la dynastie Canmore.

A la fin du XIIe siècle, l'emprise normande sur les Lowlands et l'est de l'Ecosse – la route d'invasion traditionnelle des époques passées – était affirmée. Comme dans toutes les autres possessions normandes, de grandes abbayes et cathédrales étaient construites pour marquer le progrès spirituel de la conquête. Leurs dates de fondation se situent toutes dans les 150 premières années de l'incursion normande: Holyrood (1128), St Andrews (1160, terminée en 1318), Elgin (1224), St Giles, Edimbourg (1243). De plus, David Ier et ses successeurs installèrent de nouveaux ordres religieux venus du Continent, comme les Augustiniens et les Cisterciens, et fondèrent les dix évêchés écossais. Comme dans le reste de l'Europe l'épiscopat était un instrument de pouvoir royal.

Au XIIIe siècle, les rois écossais essayèrent d'étendre leur pouvoir à l'ouest et au nord de ce noyau central. Galloway resta obstinément autonome, fidèle à son triple héritage

◁ *Les ruines de la cathédrale St Andrew à Fife*

▽ *Le Palais de Holyrood à Edimbourg fut d'abord construit au VIIe siècle*

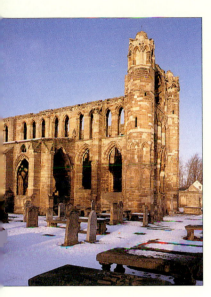

La cathédrale d'Elgin

P-celte, irlandais et viking et à son précieux éloignement d'Edimbourg. Ils furent toutefois plus heureux contre les Vikings en Argyll et dans les îles. Alliant persuasion, corruption et menaces, Alexandre II (1214-49) et Alexandre III (1249-86) tentèrent de desserrer l'emprise Viking. Finalement, le Comte de Ross envahit Skye – sans aucun doute avec la permission royale – et cette attaque au sein des possessions viking attira une effrayante riposte de la part du Roi Haakon de Norvège, le maître de l'empire Viking.

Haakon rassembla une énorme force d'invasion, mais ce fut le désastre quand une tempête dispersa sa flotte à la bataille de Largs dans le Firth of Clyde en 1263. Il mourut au cours de la retraite vers la Norvège et Alexandre III conclut avec son successeur Magnus un traité de paix qui apportait les îles occidentales au domaine royal d'Ecosse.

Alexandre mourut subitement sans héritier mâle en 1286. C'était le dernier de la maison de Canmore et le dernier roi d'Ecosse descendant de Kenneth MacAlpin. Son seul enfant, une fille, avait été mariée au roi de Norvège mais elle était morte trois ans auparavant en donnant naissance à l'enfant qui maintenant allait succéder à Alexandre, une fille nommée Marguerite, connue dans l'histoire comme la Pucelle de Norvège. Elle avait déjà été fiancée au fils du Roi Edouard Ier d'Angleterre, un garçon plus jeune qu'elle de deux ans, afin que leur mariage réalisât l'union des couronnes. Mais tous ces projets furent anéantis lorsque Marguerite mourut subitement.

La crise qui s'ensuivit fut double. D'abord il y eut une lutte de factions pour la couronne qui s'acheva entre deux hommes, Jean Baliol et Robert Bruce d'Annandale, tous les deux importants membres de l'aristocracie normande. Ce fut aussi l'intervention d'Edouard Ier d'Angleterre, un homme de vision impériale et d'énergie titanesque.

Une vue contemporaine de la ville de Largs. C'est au large de ses côtes qu'Alexandre III vainquit le Roi de Norvège à la célèbre bataille de 1283

11. L'ÉCRASEMENT DES ECOSSAIS

Les rois écossais avaient prêté hommage aux rois anglais avant 1290. Déjà en 1174 Guillaume Le Lion s'était déclaré le vassal de Henri II. De tels actes ne signifiaient pas forcément que l'Ecosse était dépendante de l'Angleterre. En effet, l'Angleterre et l'Ecosse n'existaient pas dans le sens actuel. L'époque des états centralisés avec des lois uniformes, des frontières stables et une administration centrale – toutes choses que nous trouvons normales – se trouvait encore bien loin dans l'avenir. Donc, lorsque le roi d'Ecosse reconnaît le roi d'Angleterre comme son suzerain , il se peut qu'il le fasse en réparation des raids écossais dans le sud ou dans sa capacité de propriétaire anglais – car les rois d'Ecosse étaient aussi Comtes de Huntingdon depuis que David Ier avait reçu le titre dans son contrat de mariage vers 1120.

Il est certain néanmoins que les rois anglais se considéraient automatiquement supérieurs à leurs

Un manuscrit médiéval montrant le roi Edouard Ier d'Angleterre en compagnie de moines et d'évêques

homologues écossais. Ils étaient plus riches et leurs territoires étaient plus grands. Le caractère novateur d'Edouard Ier résidait en ce qu'il essaya de donner une forme permanente à ces rapports de force.

Plus le Moyen-Age avançait, plus les rois essayaient de rendre leur souveraineté féodale plus concrète. C'était la naissance de la construction de l'état moderne. Les rois cherchaient à élargir leurs pouvoirs personnels sur des régions de plus en plus larges. Edouard Ier ne fit pas exception. Ce fut un législateur et un administrateur infatigable. Il repoussa les limites du pouvoir royal anglais dans des régions plus lointaines, conquérant le Pays de Galles vers 1280. Les campagnes d'Edouard contre les Scots ne peuvent être comprises que dans ce contexte. Il fut la première personne à rêver d'un pouvoir central royal unique et efficace pour l'île de Bretagne toute entière.

Quand le trône d'Ecosse devint libre à la mort de la Pucelle de Norvège, les nobles des Lowlands acceptèrent qu'

Le trône de couronnement et la Pierre de Scone

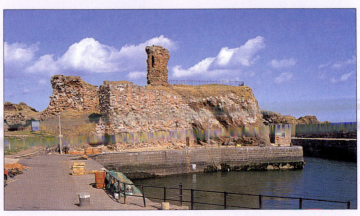

Edouard arbitre les revendications de Baliol et de Bruce. Edouard étant le lord féodal le plus important de l'île, il semblait naturel aux esprits féodaux qu'il résolve la question. Lui-même avait des ambitions qui dépassaient le rôle qu'on attendait de lui. Les nobles des Lowlands pensaient qu'une fois donnée sa décision, il se retirerait et respecterait les distances tradition-nellement gardées par les rois d'Angleterre. Mais Edouard avait d'autres desseins. S'étant avancé dans les Lowlands, il choisit Baliol comme roi en 1292 tout en s'octroyant le titre de suzerain pour lui-même et ses successeurs.

De plus il jouissait de soutien en Ecosse. L'autorité du roi d'Ecosse ne s'étendait pas toujours en dehors des Lowlands. Même dans les Lowlands, tout le monde n'approuvait pas du choix de Baliol. Un Grand puissant, MacDuff de Fife, lui intenta un procès devant un tribunal anglais. Baliol, roi d'Ecosse, se trouva donc à rendre des comptes à Westminster, selon le droit anglais, dans une affaire portée contre lui par un de ses prétendus sujets.

Puis vinrent les guerres d'Edouard en France car le roi Philippe IV cherchait à annexer l'Aquitaine. Baliol, irrité par les chicanes d'Edouard, s'allia aux Français. Edouard riposta en envahissant l'Ecosse en 1296, infligea une défaite à Baliol à Dunbar et le détrôna. Il continua ensuite sa marche à travers toute l'Ecosse – y compris les Highlands – et rentra dans son royaume emportant la Pierre de Scone, pour bien montrer qu'il était le plus puissant. Pour en recevoir confirmation, il réunit le parlement à Berwick où il reçut l'hommage des nobles écossais.

Il n'y avait donc plus de roi d'Ecosse. Edouard semblait avoir réalisé son rêve d'unité insulaire. S'il avait réussi, ce que nous appelons aujourd'hui l'Ecosse n'aurait jamais existé. Elle aurait été comme un Yorkshire au-delà de la Tweed. Mais Edouard échoua. Les triomphes de 1296 marquaient en fait l'apogée de son pouvoir dans le nord. Dès le début du XIVe siècle, l'histoire prit un tour nouveau.

△ Un fantassin écossais de l'époque d'Edouard Ier

▽ Le port et les ruines du château de Dunbar. C'est près de là que Edouard Ier vainquit Baliol en 1296

12. L'INDÉPENDANCE

L'Ecosse posait deux problèmes à Edouard Ier. Le premier était la distance. Les Romains avaient dû faire face à la même difficulté plus d'un millénaire plus tôt. La région était trop vaste et trop lointaine pour être dirigée de Londres: comment lever et percevoir les impôts ou faire appliquer les lois ? Les rois écossais avaient eux-mêmes rencontré le même problème. Edouard estimait qu'il pouvait compter sur certains Grands des Lowlands, mais pas sur tous. Quant aux Highlands, elles étaient passionnément

---

Scots, wha hae wi Wallace bled,
Scots, wham Bruce has aften led, –
Welcome to your gory bed, –
Or to victorie.

Robert Burns
'Robert Bruce's March to Bannockburn'

---

indépendantes.

C'était le second problème d'Edouard. A quel moment exactement l'individualisme écossais devient-il nationalisme bourgeonnant, defini et se développant par rapport et en opposition à la puissance grandissante de l'état anglais voisin ? Là est toute la question. Le royaume d'Ecosse avait existé pendant près de 500 ans. Bien qu'il n'eût jamais été composé de la totalité de ce qui fait l'Ecosse actuelle, il n'en avait pas moins été l'unité politique la plus importante ; sa base et ses traditions étaient assurées et sa succession royale s'était passée le plus souvent dans l'ordre. Avec l'avènement du féodalisme normand, il avait accepté, avec la suzeraineté de principe des rois anglais, de faire partie d'une hiérarchie féodale théorique. Mais rien de tout cela n'affectait les affaires courantes jusqu'à ce qu'Edouard Ier tente de transformer la théorie en pratique. Le but des campagnes ultérieures de Wallace et de Bruce serait de défendre l'ordre traditionnel. Edouard, pendant ce temps, essayait de pousser les Ecossais dans un royaume uni centré sur Londres, comme il l'avait déjà fait avec succès avec les Gallois. Son échec renforça inévitablement la prise de conscience d'une identité écossaise.

Mais l'Ecosse n'était pas une nation – du moins pas encore – bien que la résistance à Edouard Ier contînt les germes de nationalisme. C'était en fait une querelle entre Normands: Robert Bruce d'Annandale qui avait été le rival de Baliol pour le trône était Normand – la famille était originaire de Bruis en

Le monument de Bruce à Bannockburn

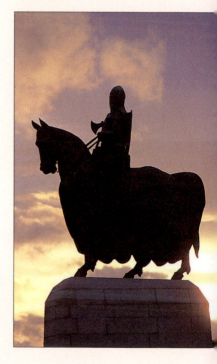

Normandie – et c'est son petit-fils qui devait remporter la victoire de Bannockburn qui le confirma comme roi d'Ecosse.

La première révolte contre Edouard fut menée sous la direction de William Wallace, le fils d'un gentleman du Renfrewshire. Il remporta une victoire non négligeable sur les Anglais à Stirling Bridge en septembre 1297 mais, moins d'un an plus tard, Edouard se vengeait de cette défaite à la Bataille de Falkirk. Wallace s'enfuit en France. Quand il rentra en 1305, il fut trahi et exécuté. La plupart des Scots-Normands avaient reconnu l'autorité

Cette belle statue en grès de William Wallace se trouve dans les collines d'Eildon dans les Borders

Une représentation de la Bataille de Bannockburn datant du XIXe siècle

d'Edouard et lui avaient rendu hommage au parlement qu'il avait réuni à St Andrews en 1304.

Wallace mort, la direction de l'opposition écossaise passa aux mains de Robert Bruce (1274-1329), petit-fils du prétendant de 1292. En 1306 il réclama le trône d'Ecosse vacant depuis la déroute de Baliol dix ans auparavant. Après une longue campagne, durant laquelle il dut faire face à de nombreux ennemis, tant de l'intérieur que de l'Angleterre, il

triompha finalement. Il fut aidé par la mort d'Edouard Ier en 1307 et sa succession par son incapable et efféminé de fils.

Bruce réussit à réunir une coalition d'Ecossais dont la peur commune était la domination par un pouvoir lointain. Dès 1309, il se sentait assez fort pour tenir parlement à St Andrews et pour demander la reconnaissance du Roi de France. Ses campagnes militaires firent une telle pression sur les Anglais qu'Edouard II fut finalement obligé d'envoyer une formidable armée au nord pour libérer le château de Stirling assiégé par le frère du roi, Edouard Bruce.

Le jour de la Saint Jean 1314, le Roi Robert Ier et le Roi Edouard II se livrèrent bataille à Bannockburn près de Stirling et l'Ecossais remporta une victoire si décisive qu'elle mit fin à la menace anglaise. Plus important encore, elle devint un évènement mythique de l'histoire écossaise: la bataille qui faisait de l'Ecosse un royaume indépendant.

13. REVERS DE FORTUNE

Robert reigna pendant 15 ans après Bannockburn. En 1318 il captura Berwick et annexa les Borders – les Marches écossaises -. Sa couronne fut reconnue à l'étranger. Dans une lettre adressée au pape au nom de 39 nobles écossais, la Déclaration d'Arbroath (1320) était l'affirmation énergique de l'indépendance écossaise, dans le but de contrecarrer la propagande pro-anglaise auprès de Rome. Cela réussit: le pape reconnut l'indépendance du royaume de Bruce – importante victoire dans l'Europe de la pré-réforme, car le pape était le chef suprême de la Chrétienté. En un sens, il était le suzerain suprême. En 1328, l'année avant sa mort, Bruce signa le Traité de Northampton avec le jeune Roi Edouard III, par lequel le roi anglais reconnaissait formellement la légitimité du roi des Ecossais.

Le sceau du roi Robert d'Ecosse

Le roi Edouard III d'Angleterre

Pourtant, quelques années après la mort du Roi Robert, tous ces acquis avaient été dilapidés.

Edouard III d'Angleterre haïssait le Traité de Northampton qu'il considérait comme un document signé sous la contrainte. A la mort du Roi Robert, son fils David II, un enfant de cinq ans, lui succéda. Edouard III sut saisir l'aubaine. Il encouragea les ambitions d'Edouard Baliol, fils de l'ancien roi. Baliol envahit l'Ecosse mais fut repoussé après quelques premiers succès. Par la suite, Edouard III révoqua le Traité de Northamton. Il conduisit une armée royale vers le nord, avec le misérable Baliol à ses trousses, mit en déroute les Scots à la Colline de Hallidon près de Berwick en 1333. David s'enfuit en France. Edouard installa Baliol comme roi fantoche et restaura le pouvoir anglais dans le Lothian et les Lowlands d'une manière qu'aurait aimée son féroce grand-père.

Puis, en 1337, l'engagement de l'Angleterre en France changea tout comme cela c'était produit dans les

Le roi Robert et sa première femme

années 1290. Le royaume français en expansion voulait reprendre l'Aquitaine, une possession Plantagenêt depuis 1152. Commença une série de guerres connues collectivement comme la Guerre de Cent Ans. Les premiers succès furent remportés par les Anglais, surtout à la grande bataille de Crécy (1346). Les Français sous extrême pression après Crecy, demandèrent au roi David – qui était rentré en Ecosse en 1341 – de monter une attaque de diversion au nord de l'Angleterre. Il le fit mais fut vaincu en Northumbria, capturé et emprisonné à la Tour de Londres.

Il y fut tenu prisonnier pendant dix ans. Pendant ce temps, la peste décimait la population écossaise comme elle l'avait fait ailleurs en Europe. David mourut en 1371 et eut comme successeur son neveu Robert, haut régisseur – Stewart – héréditaire de la maison royale d'Ecosse qui prit le nom de famille de Stuart.

Edouard III, tout occupé qu'il était par son aventure continentale, tourna le dos à l'Ecosse, préférant chercher victoire en France. Bien que précaire, l'indépendance du royaume écossais était maintenant une réalité. Il devait y avoir de nombreuses hostilités et escarmouches aux frontières dans les années qui suivirent, mais il n'y eut jamais plus de tentative systématique d'absorber l'Ecosse dans un grand état d'Angleterre. Le patrimoine de Robert Bruce était en sûreté.

14. LES PREMIERS STUART

En sûreté mais mal assurés. L'histoire de l'Ecosse à partir de l'accession de Robert II en 1371 jusqu'à la réforme est un théâtre d'intrigues, de factions et de meurtres alliés à des réalisations tangibles. Pour comprendre cette période, il est important de savoir que l'indépendance écossaise était soutenue par les Français. C'était la fameuse Auld Alliance de Jean Baliol des années 1290, qui eut pour conséquence de transformer les frontières en un constant spectacle de guerre.

Les premiers Stuart continuèrent les tentatives de leurs prédecesseurs Canmore pour élargir la portée du pouvoir royal et réduire celui des Grands régionaux. Cette politique était en accord avec les développements des monarchies anglaises et continentales, mais elle conduisit inévitablement à des crises. Certaines familles des Lowlands, comme les Douglas, contrôlaient de vastes domaines. Avec les terres, venait la fortune, les hommes, les armes et le pouvoir. Les rois écossais devaient pondérer leur désir de gouverner effectivement avec le fait qu'il leur était plus facile d'exercer le pouvoir à travers des familles comme les Douglas. De plus, les Douglas avaient leur siège à Galloway, une région qui, pendant des

▷ *Le roi Jacques Ier*

▽ *Le château de Doune, place forte du Duc d'Albany, régent d'Ecosse au début du XVe siècle*

Le roi Jacques III

siècles, avait été quasi indépendante de la couronne écossaise.

Le personnage principal de ce début du XVe siècle était le Duc d'Albany, le cadet de Robert III, qui avait été nommé Lieutenant du royaume en 1402. Quand son frère mourut en 1406, il garda sa position et devint régent pendant la minorité du nouveau roi Jacques Ier qui avait seulement dix ans à la mort de son père. Qui plus est, l'enfant roi était prisonnier des Anglais qui l'avaient capturé en mer pendant qu'il se rendait en France, sans doute pour son éducation.

Albany fut roi d'Ecosse de fait pendant presque vingt ans. Il mourut en 1420, son fils Murdoch lui succédant brièvement. Puis, en 1424 Jacques Ier rentra d'Angleterre et fut couronné à Scone. Il se retourna farouchement contre les grands. Murdoch, duc d'Albany fut exécuté. Le 5e Comte de Douglas fut emprisonné. Les chefs des Highland, parmi eux Alexandre MacDonald, le lord des Iles, furent invités à dîner à Inverness et furent immédiatement arrêtés. Certains, mais non Alexandre, furent assassinés. La couronne d'Ecosse n'était pas encore assez forte pour prendre le pouvoir dans les îles, bien qu'elle eût à le faire plus tard dans le même siècle.

Jacques Ier fut finalement assassiné par des sujets mécontents en 1437 et son fils Jacques II, encore mineur, lui

succéda. Cette malédiction des règnes écossais du moyen-âge, la régence, était une fois de plus nécessaire. Cette fois, elle dura douze ans, entre les mains de plusieurs Douglas, qui tout naturellement passèrent leur temps à avancer leurs propres intérêts aux dépens d'autres grandes familles. Mais une fois que Jacques eut atteint sa majorité, il se montra un roi ayant toutes les qualités son père.

Il écrasa le pouvoir des Douglas autour de 1450, en utilisant un nouvelle invention décisive – l'artillerie – pour attaquer leurs châteaux qui n'étaient plus maintenant invincibles. Son successeur Jacques III utilisa des moyens similaires contre les MacDonald des Iles, diminuant leur pouvoir en 1476. Jacques IV prit officiellement le titre de Lord des Iles vers 1490, marchant dans les îles pour affirmer son autorité. Les Orcades et les Shetland se retrouvèrent dans la corbeille du roi d'Ecosse, ayant été données en dot royale à l'occasion du mariage en 1468 de Jacques III et de Marguerite, fille du roi Christian Ier de Norvège et de Danemark. Graduellement et inexorablement, le royaume d'Ecosse repoussait ses frontières. L'Ecosse actuelle était née.

La campagne en Galloway, une région qui a continuellement lutté pour maintenir son indépendance vis-à-vis de l'autorité centrale

15. LA FIN DU MOYEN-AGE

L'indépendance de l'Ecosse s'était consolidée parce que l'Angleterre était occupée en France à se battre dans la Guerre de Cent Ans. Après cela, elle avait été mêlée à la longue guerre civile appelée la Guerre des Deux Roses. Cela donna aux rois médiévaux d'Ecosse le champ d'action dont ils avaient besoin. Ils en tirèrent bon parti en réduisant le pouvoir de leurs propres Grands régionaux, comme les rois d'Angleterre et de France étaient en train de le faire dans leurs pays respectifs. En conséquence, l'Ecosse devint un royaume de plein

Marie de Guise, reine régente et mère de Marie Reine d'Ecosse

droit et non pas une région subalterne.

Jacques II mourut quand l'une de ses chères pièces d'artillerie explosa durant le siège du Château de Roxburgh en 1460. Jacques III survécut aux complots de ses frères et de quelques Douglas avant d'être finalement assassiné en 1488. Jacques III est plus connu comme mécène que comme roi guerrier: il est le premier roi écossais à qui puisse s'appliquer le terme "d'homme de la Renaissance". Il construisit le grand hall à Stirling et commença la construction du palais

royal de Linlithgow. Jacques IV régna un quart de siècle jusqu'à ce qu'il périsse avec la fleur de la chevalerie écossaise à la bataille de Flodden.

La Guerre des Deux Roses se termina en 1485 quand Henri IV devint le premier roi Tudor d'Angleterre. Bien que ne renouvelant jamais la revendication anglaise au titre de la couronne d'Ecosse, il encouragea les attaques dans les eaux écossaises par les corsaires anglais et donna son support aux MacDonald des Iles. En retour, les Ecossais donnèrent leur appui aux prétendants à la couronne anglaise. Finalement, en 1503, un traité de paix perpétuelle fut signé par Jacque IV et Henri VII. Il faisait partie du contrat de mariage lorsque le roi d'Angleterre accorda la main de sa fille Marguerite au Roi d'Ecosse.

La paix se maintint. Mais tout changea lorsqu'Henri VII mourut en 1509 et fut remplacé par le pompeux et ambitieux Henri VIII. Henri partit en guerre contre la France, qui immédiatement chercha le support écossais selon les termes de l'Auld Alliance. Qui plus est, Henri avait encouragé des actes d'agression des anglais aux frontières dans l'espoir de

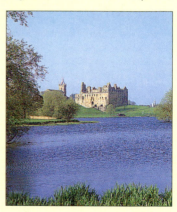

Le Palais de Linlithgow

provoquer les Ecossais. Jacques IV se trouvait pris entre deux feux: entre le traité avec le frère de sa femme et l'alliance traditionnelle avec les Français. En dépit du conseil de la plupart de ses courtisans qui préféraient la neutralité, il choisit la guerre contre les Anglais. La conséquence fut le désastre de Flodden (1513), la plus grande défaite de l'histoire écossaise. Presque toutes les maisons nobles des Lowlands y souffrirent des pertes; un nombre important d'highlanders périrent également. Ce fut une catastrophe nationale symbolisée par la mort du roi lui-même.

Flodden n'était que l'une – la plus notoire – d'une succession de batailles aux frontières entre les couronnes d'Angleterre et d'Ecosse, cette dernière jouant le rôle d'agent provocateur régional pour son alliée, la France. Toutefois, ces évènements semèrent le germe du mécontentement vis-à-vis de la France et

Les bâtiments intérieurs du Château de Stirling, ancien centre du pouvoir royal écossais

expéditions de découvertes de Colomb, Gama et Díaz avaient ouvert des horizons inconnus pour les implantations et le commerce européens. L'année précédant Flodden, Michel-Ange avait terminé de peindre la voûte de la Chapelle Sixtine à Rome. En 1513, Machiavel commençait à écrire Le Prince et, quatre ans plus tard, un moine inconnu Martin Luther clouait ses 95 thèses sur la porte de la Cathédrale de Wittenberg. La réforme protestante en fut la conséquence, un bouleversement radical qui eut des retentissements dans toute l'Europe. En Ecosse, ses effets furent sismiques.

La bataille de Flodden

de l'Auld Alliance, qui se manifesta deux générations plus tard.

Bien que personne ne le sût alors, Flodden sonna le glas de l'Ecosse médiévale. Toute l'Europe se trouvait emportée dans le tourbillon de la haute Renaissance. L'imprimerie avec des caractères mobiles était la nouveauté technologique de l'époque; les grandes

*Still from the sire the
son shall hear
Of the stern strife and
carnage drear,
Of Flodden's fatal field,
Where shiver'd was fair
Scotland's spear
And broken was her shield.*

**Sir Walter Scott
from *Marmion***

A la mort de son père à Flodden, le trône passa à Jacques V. Avec la malchance des Stuart, il était encore mineur et après deux régences, pendant lesquelles les intérêts pro-Français et pro-Anglais s'affrontèrent, Jacques prit enfin le pouvoir en 1528.

Jacques V était un roi populaire mais il haïssait les factions et il limita plus encore les ambitions des Grands de province. Il fut le premier roi d'Ecosse à faire le tour de son royaume en bateau, du Firth of Forth à la Clyde, visitant de nombreuses îles et acceptant l'hommage des "chieftains" locaux. Il prit même des hôtages lorsqu'il le jugea nécessaire pour garantir la bonne conduite de tel ou tel clan.

Pendant ce temps, de nombreux nobles des Lowlands, que le roi s'était aliéné, étaient attirés par les nouvelles idées de la Réforme. Ils étaient encouragés par Henri VIII d'Angleterre, qui avait coupé les ponts avec Rome, sans toutefois se convertir au

Henri VIII d'Angleterre

protestantisme – cela viendrait plus tard – et qui essayait de fomenter des troubles pour le roi d'Ecosse pro-Français. Jacques V était un catholique loyal défendant la foi traditionnelle. En 1528, il n'eut aucun scrupule à brûler au buchet Patrick Hamilton, un premier réformé. Qui plus est, sa reine, Marie de Guise, était Française, ce qui renforça la cause du catholicisme et l'alliance avec la France. Par opposition, les premiers réformés écossais se tournèrent vers l'Angleterre.

L'église catholique d'Ecosse était pourrie par la corruption, l'absentéisme et un clergé pauvre et ignorant. Des réformes étaient impératives. Mais toute réforme avait des implications politiques et un pouvoir pro-Français les rendait impossibles. En même temps, Henri VIII se sentait menacé par les états catholiques du continent à cause de sa rupture avec le Pape. Il craignait aussi de se retrouver avec une Ecosse pro-française et catholique sur ses arrières. Il essaya de persuader Jacques V, l'invitant à le rencontrer à York. Jacques lui tint tête. Furieux, Henri lança ses armées dans les Lowlands. La contre-attaque des

Le roi Jacques V d'Ecosse

Ecossais se termina par leur lâche capitulation à Solway Moss en Novembre 1542. La mort de Jacques s'ensuivit peu après.

Sa fille âgée de six jours, Marie, la célèbre Reine d'Ecosse, lui succéda avec sa mère, Marie de Guise, comme régente. Henri VIII essaya alors d'arranger un mariage entre son jeune fils Edouard et la reine enfant. Un mariage d'alliance entre l'Angleterre et l'Ecosse aurait eu le dessus sur l'Auld Alliance et aurait rassuré les anxiétés d'Henri. Pour ce faire, il envahit l'Ecosse à nouveau dans une campagne qu'on appela "Rough Wooing" (faire la cour de façon rustre). Une nouvelle victoire anglaise à la bataille de Pinkie (1547) se révéla inutile: le parti français restait au pouvoir.

Mais la terre se dérobait sous leurs pas car les doctrines de la Réforme gagnaient du terrain en Ecosse. Influencés par les développements continentaux, dégoutés par les abus dans l'église romaine d'Ecosse et, dans certains cas, ouvertement opposés à l'alliance avec la France, de nombreux Ecossais des Lowlands en particulier, épousèrent la cause de la réforme. En 1546, le pasteur protestant George Wishart était condamné au bucher à St Andrews pour hérésie. En représailles, des émeutiers protestants prirent le château de St Andrews et massacrèrent le Cardinal Beaton, le premier prélat du royaume et un proche de Marie de Guise. Les forces royales reprirent le château aidées par la France. Parmi les captifs se trouvait un certain John Knox qui fut condamné à servir deux ans dans les galères de la marine française.

Le château de St Andrew

Le réformateur Georges Wishart prêchant contre la vénération excessive de la Vierge

17. LE TRIOMPHE PROTESTANT

Pendant les années 1450 et 1550, les idées de la réforme se propagèrent en Ecosse parmi les même classes – éduquées, urbaines – que dans le reste de l'Europe occidentale la génération précédente. La Réforme prit plus fortement racine dans les Lowlands. Etant donné l'ardent catholicisme de Marie de Guise, le protestantisme apparaissait comme une proposition séduisante pour ces sujets des Lowlands qui n'appréciaient pas le pouvoir démesuré de la couronne. Pour eux, l'alliance anglaise avait toujours été considérée comme une possibilité. Bien avant la Réforme, il ne manquait jamais de factions de nobles écossais prêtes à s'abaisser devant les Anglais. Mais maintenant, l'Angleterre se tournant vers le protestantisme, naissaient de nouveaux intérêts communs.

Pendant ce temps, la régente avait envoyé la jeune reine en France pour son éducation et l'avait fiancée au dauphin, renforçant ainsi pour toujours

John Knox

l'Auld Alliance. Marie d'Ecosse épousa le dauphin en 1558, l'année même où sa cousine Elisabeth, protestante passionnée, devenait Reine d'Angleterre. En 1559, John Knox retournait en Ecosse, endurci par son exil et par des années d'études et de saint ministère dans le Genève de Calvin.

Knox se rallia, avec toute son énergie et sa brillante éloquence, à la cause des *Lords of the Congregation*, un groupe militant de lords des Lowlands, adeptes des principes protestants radicaux, et soutenus par des troupes et des finances anglaises. Ils étaient ennemis jurés de Marie de Guise et de toute alliance française, voulant y substituer une alliance anglaise. Knox, lui-même, connaissait bien l'Angleterre, y ayant passé plusieurs de ses années d'exil. A présent, il importait en Ecosse un nombre considérable de bibles anglaises; elle se révélèrent une forme efficace d'anglicisation et de réforme. Knox prit d'assaut les Lowlands, prêchant un calvinisme convaincant et gagnant l'allégeance de nombreuses villes importantes. A Perth, il interrompit une messe dans l'église St John, monta

La jeune Marie Reine d'Ecosse

en chaire et prononça un sermon incendiaire sur les démons du papisme; une bagarre en résulta, qui se solda par la destruction, non seulement de St John, mais aussi des monastères de Blackfriars, Greyfriars et Charterhouse de la ville.

Les *Lords of the Congregation*, tout protestants loyaux qu'ils fussent, n'en surent pas moins reconnaître le moment propice. La destruction de monastères n'était pour leur déplaire car ils ne sauraient manquer de bénéficier d'une dissolution monastique, tout comme l'avaient fait les propriétaires anglais de la génération précédente. De tels actes étaient, en fait, comme une déclaration de guerre contre la couronne et ses protecteurs français. Une guerre civile menaçait, dans laquelle seraient automatiquement impliquées l'Angleterre et la France. Mais alors, la régente Marie de Guise mourut. Les deux côtés se retirèrent ; la garnison

française rentra chez elle. Par quoi ce vide serait-il rempli ? En Août 1560 les Lords of the Congregation réunirent une convention − ils l'appelèrent un parlement, mais ce n'en était pas un, puisqu'ils n'avaient pas l'approbation du roi − et déclarèrent officiellement l'Ecosse pays protestant. Ils interdirent la célébration de la messe sous peine d'emprisonnement et d'expropriation à la première infraction, d'exil à la deuxième et de mort à la troisième. Ils révoquèrent toutes les revendications papales sur le pays. Knox codifia les principes de la révolution dans un document connu sous le nom de Confession of Faith − la profession de foi -.

La réforme avait triomphé. Un peu comme dans le cas de l'état écossais que les Normands avaient établi des siècles plus tôt, ce fut d'abord et avant tout un phénomène des Lowlands qui s'étendit ensuite aux Highlands. Une petite arrière garde catholique demeura dans les Highlands et dans les îles mais partout ailleurs la victoire protestante était complète.

L'église St John à Perth où John Knox prêcha un de ses sermons les plus révolutionnaires de la Réforme

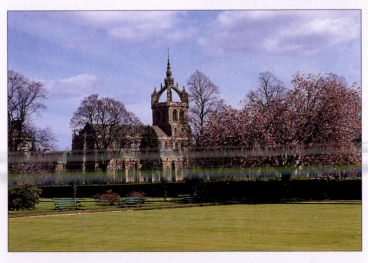

18. Marie Reine d'Ecosse

En 1561, Marie, reine d'Ecosse, dix-neuf ans et déjà veuve, rentra pour prendre la couronne. Elle était le produit de son éducation à la cour de France et catholique convaincue. Comment gouvernerait-elle un pays qui avait rejeté à la fois son alliance avec la France et son catholicisme ?

A peine installée à Edimbourg, elle insista pour que la messe fût célébrée dans sa chapelle privée à Holyrood. Knox prêcha contre elle à St Giles, tonitruant qu'à ses yeux une messe était plus dangereuse qu'une armée de dix mille hommes. La Reine l'envoya cherche: en effet,

Lord Darnley

elle ne manquait pas de courage. S'ensuivit une série de conversations célèbres où Knox ne céda pas un pouce. La reine finalement annonça que la tolérance religieuse prévaudrait. Ce qui signifiait en réalité qu'elle pouvait avoir sa propre messe; la messe était toujours bannie partout ailleurs en Ecosse.

La chute désastreuse de la jeune reine commença en 1565 lorsqu'elle tomba amoureuse de Henri Stuart, Lord Darnley, fils du Comte de Lennox. Il était prince du sang et cousin de Marie et aussi d'Elisabeth d'Angleterre. Mais c'était un dandy vain et méchant et l'affection de la reine s'éteignit peu après leur mariage. Darnley s'aliéna de nombreux conseillers de la reine qui le considéraient inévitablement comme un agent des intérêts des Lennox. Pis encore, la reine reporta bientôt ses affections sur un roturier italien, le secrétaire David Rizzio. Sous son influence, la reine revint sur sa politique de tolérance religieuse et durcit son action en faveur du catholicisme. Un groupe

John Knox et Marie, Reine d'Ecosse

L'île de Castle du Loch Leven, où Marie fut emprisonnée et d'où elle s'enfuit

de lords protestants mécontents, mené par William Ruthven et James Morton, conspirèrent avec Darnley pour tuer Rizzio dans l'antichambre de la Reine à Holyrood en 1566. Par ailleurs, la reine était enceinte et la même année, elle donna naissance à un fils Jacques. L'enfant fut baptisé catholique.

I fear of right knowledge you have none!

**John Knox
to Mary Queen of Scots**

Les rapports entre la reine et Darnley ne s'amélioraient pas. Au début de 1567, il attrapa la petite vérole à Glasgow. Marie alla le voir, le ramena à Edimbourg et le logea dans une maison à Kirk o'Field, juste à l'extérieur des murs de la ville. Dans la nuit du 9 février, la maison fut détruite par une explosion de poudre à fusil. Darnley mourut. Le Comte de Bothwell fut jugé et acquitté, le jugement ayant été truqué. Tout le monde pensait qu'il était coupable et que la reine était sa complice car Bothwell était son nouveau favori. Le 24 avril ils partirent ensemble, le 7 mai il divorçait de sa femme, le 12 mai Marie lui donnait le titre de Duc d'Orkney et le 15 mai elle l'épousait. Il n'y avait pas trois mois que Darnley était mort.

C'en était trop. La population tout comme les nobles écossais étaient unis dans leur horreur devant l'impudence de la reine. Knox s'éleva contre elle. Bothwell et ses alliés rencontrèrent une force supérieure à Carberry Hill près d'Edimbourg; ils se rendirent sans combat. Marie s'en remit à la merci des rebelles tandis que Bothwell s'enfuyait à cheval hors de l'histoire.

Les rebelles se montrèrent sans pitié. Ils l'emprisonnèrent d'abord à Edimbourg où une foule bien excitée par les vitupérations de Knox la traita de façon abominable. Puis elle fut emmenée dans une île du Loch Leven et forcée à abdiquer en faveur de son fils qui fut couronné Jacques VI à Sterling, le 29 juillet 1567. Le Comte de Moray fut nommé régent jusqu'à la majorité du roi à dix-sept ans.

L'exécution de Marie Reine d'Ecosse

Marie réussit finalement à s'évader de Loch Leven en mai 1568 et elle leva une armée de 6000 hommes qui fut facilement vaincue par Moray à Langside, maintenant la banlieue de Glasgow. Elle s'enfuit. Elle aurait pu aller en France mais, traversant le Firth of Solway pour gagner le royaume de sa cousine Elisabeth, elle choisit l'Angleterre et le long purgatoire qui précéda son exécution dix-neuf ans plus tard.

19. L'UNION DES COURONNES

Le jeune fils de Marie était maintenant le roi Jacques VI d'Ecosse. Une série de régences s'ensuivit jusqu'à ce que Jacques prit lui-même le pouvoir en 1584 à l'âge de 17 ans. En général, ces régences furent réussies: les luttes intestines entre les grandes familles avaient été peu nombreuses et le pays était la plupart du temps en paix. Cela n'avait pourtant pas toujours été facile: juste avant de prendre le pouvoir, le jeune roi avait été enlevé par une faction ultra protestante menée par le Comte de Gowrie au cours d'un épisode connu sous le nom de Raid de Ruthven. Ils craignaient l'influence du régent, le Comte de Lennox, qui avait reçu une éducation catholique et s'était seulement converti au protestantisme à son arrivée en Ecosse quatre années plus tôt.

L'histoire de l'Ecosse dans le deuxième moitié du XVIe siècle est dominée par la question religieuse. Knox, fils d'un fermier de Haddington de l'East Lothian qui, selon le régent Morton, "ne craignait ni ne flattait qui que ce soit", mourut en 1572. Son influence avait été décisive pour la réforme écossaise. Durant la génération suivante, le flambeau fut repris par le tout aussi courageux et inflexible pasteur érudit Andrew Melville. Il était l'auteur principal du Second Book of Discipline qui est le texte fondamental des Presbytériens écossais et de l'Eglise d'Ecosse.

Une des premières églises presbytériennes

Le presbytérianisme est un système de gouvernement d'église dont les racines remontent au judaïsme. Dans la tradition juive, les synagogues et leurs congrégations étaient sous la direction d'Anciens élus – du mot grec presbuteroi. Toutefois, durant les premiers siècles après Jésus-Christ, l'évolution du clergé chrétien remplaçait la tradition par un système impérial romain d'autorité. C'était une structure hiérarchique dans laquelle dominaient les évèques (en grec episkopoi, d'où épiscopal). Les plus radicaux des réformateurs du XVIe siècle – Calvin et ses disciples à Genève – rejetaient l'épiscopat et revenaient à la pureté du concept judéo-chrétien original.

IACOBVS · 6 · D · G
SCOTORVM
ÆTA · 29
1595

"Le fou le plus sage de la Chrétienté" : Jacques VI et Ier

Ce tableau Ordination of the Elders montre bien le sérieux et la rigueur des rites presbytériens

Melville, comme Knox, avait étudié et travaillé aux côtés de Calvin à Genève. Knox avait introduit la notion presbytérienne en Ecosse mais avait échoué à l'établir pleinement. Les évêques de l'église réformée préféraient laisser la nomination à des évêchés lucratifs aux mains des divers régents de la minorité de Jacques VI. Pourtant dans son Second Book of Discipline de 1581, Melville avançait la cause d'une forme pure de presbytérianisme par laquelle l'église presbytérienne serait indépendante de l'état. Après une génération de chamailleries, l'épiscopat fut aboli par le Golden Act de 1592. Le presbytérianisme devint le système de gouvernement de l'église réformée d'Ecosse bien qu'il restât encore une minorité de réformateurs épiscopaux.

Ce n'est qu'avec la plus grande réserve que le roi avait donné son accord à ces changements. En fait, il avait trouvé Melville aussi difficile et intransigeant que sa mère avait trouvé Knox. L'intention de Jacques était que, quoi qu'il arrivât, l'église presbytérienne ne devînt pas totalement indépendante de l'état pour ne pas former un centre rival de pouvoir et d'autorité morale. Le roi était épiscopalien de coeur, tout comme Melville était théocrate. Cette question non résolue et l'impasse inconfortable dans laquelle ils se trouvaient devait être un thème qui se répercuta dans les évènements des siècles à venir.

Mais, en 1603, se produisit un de ces changements inéluctables. Elisabeth d'Angleterre mourut sans postérité. Jacques était son parent le plus proche et il adjoignait ainsi le trône anglais au trône écossais. Moins d'un siècle après Flodden, l'union anglo-écossaise des couronnes symbolisait l'idée maitresse de l'histoire de l'Ecosse du XVIe siècle. Jacques VI et Ier; le fou le plus sage de la Chrétienté, quittait à jamais Edimbourg chevauchant vers Londres.

20. Le Covenant National

Le règne de Jacques VI en Ecosse avait été réussi. Il avait arrêté les factions des Grands, affirmé l'autorité royale, présidé à une ère de paix et était arrivé à un modus vivendi acceptable, bien que difficile, avec l'église presbytérienne. Le secret de son succès fut qu'il réalisa la réconcilation des opposants. Surtout, les différences entre les ambitions épiscopaliennes et le calvinisme convaincu de l'église presbytérienne l'obligèrent à agir avec sensibilité et délicatesse, à corriger et à faire des

L'un des grands portraits du roi Charles Ier par Van Dyck

concessions, en résumé, à agir en homme politique.

Maintenant à l'âge de 37 ans, il se trouvait bien installé dans la très agréable atmosphère du royaume anglican. Libéré des nécessités de contact direct avec les Ecossais

grincheux, il laissa ses instincts autocratiques et arrogants prendre le dessus. Il essaya sans succès d'obtenir l'union des deux parlements. Il tenta d'imposer l'uniformité de religion dans les deux royaumes. Naturellement, compte tenu de ses propres

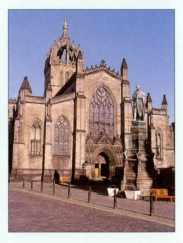

St. Giles

préférences, c'était le modèle épiscopalien anglais qui était supposé dominer. Il révoqua le Golden Act de 1592 en nommant trois évêques écossais en 1610 après avoir bani Andrew Melville et il manigança pour que l'assemblée générale de l'Eglise presbytérienne lui donnât son soutien. Il réussit si bien qu'en 1618, il l'avait persuadée d'approuver les fameux Five Articles of Perth, tous hostiles à la pratique presbytérienne établie. Le 5e article était particulièrement choquant puisqu'il exigeait que les communiants s'agenouillent pour recevoir les sacrements.

Les articles aliénèrent tellement l'opinion générale presbytérienne qu'ils étaient impossible à mettre en pratique. Avec sagesse, Jacques n'essaya pas de les imposer. Mais le dommage était fait. Les presbytériens, qui représentaient l'élément prépondérant des protestants écossais, devinrent soupçonneux des ingérences royales dans les affaires de l'église. Les conséquences furent fatales pour le successeur de Jacques, Charles Ier.

Charles succéda à son père en 1625. Sa femme française, Henriette Marie avait des idées sur la royauté qui avaient été formées à Paris. Elle était pour une royauté autocratique de droit divin; elle était aussi catholique romaine. Charles était anglican, mais sa forme de religion était telle qu'on le suspectait de partager les sympathies

---

'The Church is an anvil which has worn out many hammers', and the story of the first collision is, in essentials, the story of all.

Alexander Maclaren

---

religieuses de sa femme.

Charles était né en Ecosse mais n'y était pas allé depuis l'âge de 4 ans; il ne s'y intéressait guère et la comprenait encore moins. Il ne prit la peine de visiter le pays que lorsqu'il fut couronné Roi d'Ecosse en 1633. Sa visite fut un désastre. Il rendit à l'église presbytérienne de St Giles son statut de cathédrale, y nomma un évêque, se fit oindre d'huile, réintroduit le surplis comme vêtement liturgique et fut accompagné publiquement par l'Archevêque de Canterbury que l'on savait en train de travailler à un retour de la religion catholique romaine en Angleterre !

Le pire était à venir. Dans les années qui suivirent, il essaya d'introduire un nouveau livre de prières, le Book of Common Prayer révisé par Laud et par les évêques écossais. Pour les

Presbytériens qui avaient rejeté l'ancien livre de prières en faveur du Book of Common Order de Knox, la nouvelle directive était un double affront. Une tentative d'introduction à St Giles en 1637 se termina en émeute.

La conséquence fut l'important National Covenant de 1638. La notion d'un pacte spécial entre Dieu et son peuple élu était originellement une idée juive qui avait été reprise par les Calvinistes. Il y avait bien eu des covenants – déclarations ou pétitions – avant, mais rien à l'échelle du présent évènement. Plus de 300.000 Ecossais signèrent le covenant, "un glorieux mariage du royaume avec Dieu". Le Presbytérianisme s'instaura église nationale de fait sinon de droit. Elle se déclara indépendante du roi et de l'état. La question que Jacques VI et Andrew Melville avait évitée 40 ans auparavant ne pouvait plus être ignorée. L'Ecosse presbytérienne était en révolte.

La reine Henriette Marie

21. LA GUERRE CIVILE

Une assemblée générale presbytérienne rassemblée à Glasgow rejeta le livre de prières et abolit les évêchés. Charles aurait pu faire l'écho de l'aphorisme de son père "pas d'évêque, pas de roi". En tout cas, il rejeta les décisions de l'assemblée.

Alexandre Leslie, Premier Comte de Leven, l'excellent chef de l'armée des covenantaires

Les Covenantaires levèrent une armée sous le commandement d'Alexandre Leslie, un vétéran de la Guerre de 30 ans. Une force royale insuffisante marcha vers le nord, seulement pour y subir les humiliations de l'armée de Leslie. Les Ecossais ravagèrent le Northumberland et Dunham et occupèrent Newcastle-upon-Tyne. Le roi dut rappeler le parlement anglais afin de voter les vivres pour une armée royale suffisante, mettant ainsi fin à 11 ans de gouvernement personnel non parlementaire. Naturellement, le parlement voulait la garantie que le roi cesserait ses pratiques de gouvernement arbitraire.

Charles était pris entre les Presbytériens écossais et les parlementaires anglais. Il choisit d'acheter les premiers, visitant Edimbourg en 1641. Il confirma la nature presbytérienne de l'Eglise et s'engagea à ce que les futures nominations du gouvernement écossais ne se fissent qu'avec le conseil et l'approbation du parlement écossais. Il reconnaissait ainsi un gouverment parlementaire en Ecosse alors qu'il se préparait à y résister en Angleterre.

La guerre civile se déclara en Angleterre entre le roi et le parlement. Les Ecossais, bien que bien disposés vis-à-vis du parlement, essayèrent de ne pas prendre parti de peur de compromettre le triomphe presbytérien obtenu si récemment. Mais cela se révéla impossible d'abord car que les deux camps recherchèrent leur soutien. Les deux côtés l'obtinrent.

James Graham, Marquis de Montrose

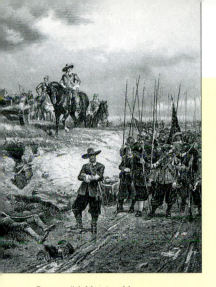
Cromwell à Marston Moor

L'alliance principale fut conclue entre les covenantaires et les parlementaires. Les covenantaires craignaient une victoire royale en Angleterre qui pourrait amener une abrogation de l'accord de 1641 en Ecosse. De plus, ils virent là une chance d'établir le presbytérianisme sur toute l'île et passèrent un accord avec les parlementaires dans ce but par la Solemn League and Covenant de 1643.

Toutefois, certains Ecossais étaient outrés de cette rebellion ouverte contre leur roi. Le chef de cette faction était Graham, Marquis de Montrose. Il avait été l'un des 4 auteurs du National Covenant mais il avait été impressionné par les concessions du roi en 1641 et il recula devant un presbytérianisme extrême. En 1644, il fut nommé Lieutenant royal en Ecosse et bientôt il levait une armée dans les Highlands, qui gagna six batailles cette année-là. Il exploita avec adresse les anciennes haines des clans, surtout celles entre les Campbell d'Argyll et les MacDonald des Iles qui remontaient à des siècles. Mais, quand il essaya de percer le bastion presbytérien des Lowlands, il fut battu à Philiphaugh en 1645.

Pendant ce temps, Leslie avait mené une armée de 25 000 hommes vers le sud pour se battre aux côtés des force parlementaires anglaises sous Fairfax et Cromwell. Ils contribuèrent aux victoires décisives de Marston Moor (1644) et Naseby (1645). Mais les parlementaires anglais ne purent tenir leur promesse aux Ecossais. Le pouvoir était maintenant passé à l'aile militaire qui comportait une forte influence indépendante. Bien que Calvinistes, les Indépendants anglais étaient pour une église décentralisée; ils n'aimaient pas le modèle presbytérien écossais et sa nature autoritaire. Cromwell était la figure principale des Indépendants.

Philiphaugh où Montrose fut vaincu en 1645

Les Ecossais se sentirent trahis. Mais soudain, le roi rendit les armes dans les Midlands anglais. Il espérait passer un accord avec les Ecossais qui provoquerait une scission avec les parlementaires. Le prix demandé par les Ecossais était l'établissement du presbytérianisme en Angleterre. Charles refusa. Les Ecossais le livrèrent aux Anglais qui s'empressèrent de l'emprisonner.

Le Roi Charles Ier fut exécuté à Whitehall le 30 janvier 1649. La nouvelle arriva en Ecosse comme un coup de tonnerre. Malgré toutes ses fautes, il était leur roi légitime et il venait d'être mis à mort par des étrangers. Le gouvernement écossais, à présent aux mains d'une oligarchie de propriétaires terriens dirigée par Archibald Campbell, 8e Comte d'Argyll, aussitôt proclama roi, le fils du souverain décédé, sous le nom de Charles II d'Ecosse. Sous la contrainte, le nouveau roi reconnut le Covenant bien qu'il n'eût aucune intention d'honorer sa promesse: pour lui le presbytérianisme "n'était pas une religion de gentlemen".

Olivier Cromwell

La proclamation du roi en Ecosse provoquerait presque inévitablement une invasion de Cromwell . C'est ce qu'il fit, demandant que les Ecossais lui donnent le fils comme ils l'avaient fait avec le père. Il anéantit les Ecossais à la Bataille de Dunbar, occupa Edimbourg et affaiblit les Lowlands. Charles se dirigea vers le nord, traversa le Forth où il fut couronné à Scone le 1er janvier 1651. Dans un dernier effort, les Ecossais envahirent l'Angleterre pour y subir une défaite finale à Worcester, le 3 septembre 1651. Le roi s'enfuit à l'étranger.

Cromwell était le maître absolu en Angleterre et en Ecosse. L'indépendance de l'Ecosse avait rendu son dernier souffle. Pourtant, les années cromwelliennes apportèrent paix et stabilité. L'ordre public était maintenu par les troupes du lord-protecteur et la tolérance religieuse observée. Mais le régime de Cromwell ne lui survécut à peine. Sa mort, en 1658, fut suivie deux ans plus tard par la restauration de Charles II dans les deux royaumes.

L'exécution de Charles Ier devant le Palais de Whitehall à Londres en janvier 1649

Charles revint vite sur toutes les promesses qu'il avait faites aux Ecossais. Il restaura l'épiscopat; il ne remit jamais les pieds dans son royaume du nord dont il ignora allègrement le parlement; il règna par l'intermédiaire d'un conseil privé nouvellement rétabli basé à Londres. Le personnage dominant de l'administration écossaise pendant la plus grande partie du règne de Charles II était John Maitland, Comte de Lauderdale.

La restauration de l'épiscopalisme et la nomination d'évêques engendra le mécontentement et la révolte presbytérienne. Le gouvernement rendit obligatoire la présence au service dominical. Sans grand effet. Les covenantaires de l'ouest se rencontrèrent en secret en conventicules et organisèrent même une brève révolte qui

Cromwell à Dunbar

fut rapidement et sauvagement écrasée.

A ce point, la distinction entre les covenantaires et la tendance presbytérienne dominante commence à se marquer plus clairement. Les premiers étaient plus extrêmes, vivant généralement dans des régions rurales ou isolées. Le second groupe, bien que refusant toujours de se conformer à l'orthodoxie épiscopale, était plus tempéré, comme il convenait à un mouvement dont la plupart des membres étaient des citadins éduqués. La division était donc en partie régionale.

En 1679, un groupe de covenantaires extrémistes massacrèrent James Sharp, l'archevêque de St Andrews. Les meurtriers s'enfuirent et joignirent leurs forces à celles de leurs frères mécontents de l'ouest, déclenchant une rébellion générale qui se termina par une défaite à la Bataille de Bothwell Bridge.

Lauderdale avait en fait essayé d'imposer par la force l'épiscopat aux Ecossais qui tout simplement s'y refusèrent. Certes, il existait un centre d'allégeance épiscopalienne tradition-nelle dans le nord-est; il y avait même de petites communautés catholiques romaines dans les Highlands et les îles, comme il en existe encore aujourd'hui. Comme nous l'avons vu, le presbytérianisme lui-même était fissile, pourtant, il fallait se rendre à l'évidence que le calvinisme était le choix d'une importante majorité d'Ecossais surtout dans les Lowlands et ce choix était l'expression de l'indépendance écossaise. Les Ecossais des Lowlands refusaient de se conformer à la religion d'état comme c'était la norme européenne. Il fallait que cette situation inhabituelle fût résolue un jour ou l'autre. Elle allait l'être plus tôt qu'on l'espérait ou le craignait.

Le prieuré d'Ardchattan près d'Oban. Ce prieuré qui date du XIIIe siècle fut incendié par les troupes de Cromwell en 1654

23. LE TRIOMPHE PRESBYTÉRIEN

Lauderdale fut remplacé comme commissionnaire royal pour l'Ecosse par le frère du roi lui-même, Jacques Stuart, un catholique de l'église romaine. Il continua la politique de Lauderdale de restauration de l'épiscopat. Il l'intensifia même. Le Test Act de 1681 était une tentative délibérée d'établissement du contrôle royal sur l'église d'Ecosse en obligeant tout tenant d'office – qu'il soit d'église ou d'état – d'abjurer le covenant.

Cela aboutit à ce qu'on appelle, la période des tueries. Il y eut des persécutions prebytériennes à grande échelle pendant les années 1680 tandis que la couronne essayait d'extirper le calvinisme. Bien que cruelle, la persécution n'était pas sans raisons. Partout en Europe les minorités religieuses étaient très mal traitées et devaient se conformer à la religion d'état; autrement elles étaient considérées comme traîtres à l'état et agents possibles de pouvoirs

Le roi Guillaume II et III. Ce portrait est attribué à Kneller

étrangers. La conformité à la norme religieuse était une formule qui faisait ses preuves pour le maintien de la paix intérieure. Les Ecossais divergeaient de la ligne officielle. En plus, ils étaient divisés: il existait des différences régionales dans le calvinisme et il y avait même des régions qui soutenaient l'épiscopalisme et le calvinisme. Ainsi, les persécutions de Jacques qui nous semblent futiles, cruelles et vouées à l'échec, ne l'étaient pas dans le contexte de l'époque.

Jacques succéda à son frère sur le trône en 1685 sous le nom de Jacques VII (II d'Angleterre). Se pensant maître de la situation, il adopta une politique de tolérance religieuse quasi totale. C'était pour aider ses amis catholiques – moins de 10 ans après le fameux complot papiste, le Popish Plot –, mais cela donna aussi du répit à des groupes comme les quakers. A des yeux du XXe siècle, cela semble un modèle de libéralisme. Vues les

Le roi Jacques VII et II

réalités du pouvoir du XVIIe siècle, il allait à l'encontre de trop d'importants groupes d'intérêt en Angleterre et en Ecosse.

Puis en 1688 la reine, après six fausses couches, donna naissance à un fils et assura ainsi la succession catholique dans les deux royaumes. C'en était trop. Les protestants anglais offrirent le trône à Guillaume d'Orange, époux de Marie, la fille de Jacques. Il était calviniste. Il arriva à Torbay dans le Devon le 5 novembre 1688. Après maintes feintes, Jacques s'enfuit. Le coup d'état était réussi et par conséquent acquit le titre grandiose de Révolution Glorieuse.

Le Vicomte Dundee, le chef de la révolte épiscopalienne dans le nord-est

Dans l'espace laissé par ces évenements, un groupe de Grands des Lowlands, presbytériens convaincus, s'empressa de se saisir de la situation. Ils déclarèrent que Jacques avait abandonné son trône qu'ils offrirent à Guillaume, sous réserve de sa promesse de supprimer l'épiscopat. Il accepta.

Tous les Ecossais n'étaient pas satisfaits de ces évènements. Une brève rébellion menée par le royaliste Lord Dundee s'attira le soutien du nord-est épiscopalien et des Highlands où Dundee leva une armée. Après une victoire à Killecrankie au cours de laquelle mourut Dundee, la révolte tourna court.

Les Accords qui avaient mis fin à la Révolution établissaient le pres-

Une vue contemporaine de Killiecranke, site de l'importante bataille de 1689

bytérianisme comme Eglise d'état en Ecosse, reconnaissant ainsi ouvertement la profondeur de la spécificité écossaise. C'était, et c'est encore, la seule église qui ne soit pas organisée sur le principe épiscopal. L'Eglise presbytérienne ne fut pas généreuse à l'heure de son triomphe. Durant les 10 ans qui suivirent, 2/3 des pasteurs furent chassés de leurs postes par les presbytériens orthodoxes. C'étaient tous ceux qui se trouvaient marginalisés et qui représentaient tout un éventail d'opinions, depuis les épiscopaliens jusqu'aux covenantaires radicaux qui ne voulaient pas d'un roi non covenantaire. La nouvelle classe ascendante presbytérienne confirmait ainsi sa volonté d'imposer son autorité uniforme sur des territoires hétérogènes. A la fin du siècle, le presbytérianisme des Lowlands avait des prétentions.

24. GLENCOE

Le massacre de Glencoe en 1692 est l'un des évènements les plus tragique de l'histoire de l'Ecosse. Après les Accords de la Révolution, les Highlands restaient agitées et représentaient une menace pour la stabilité du nouveau régime. Afin de cautionner l'allégeance des chefs de clans, ceux-ci durent tous signer un serment de loyauté au Roi Guillaume II avant le 1er janvier 1692. La logique était la même que celle du Test Act de 1681 mais orchestré par ceux qui en avait été les victimes, contre les groupes considérés comme une menace à leurs nouvelles positions.

Les conséquences en cas d'abstention ou de refus de prêter serment étaient féroces: leurs terres seraient saisies, leurs maisons seraient détruites, eux et leurs familles seraient déclarés hors-la-loi et pourraient être exécutés à volonté. La plupart des chefs signèrent à la date donnée. L'un de ceux à ne pas le faire fut MacIan de Glencoe, le chef âgé d'une branche cadette des MacDonald. D'abord il se rendit au mauvais endroit pour prêter serment, puis il dut faire le trajet dans des conditions difficiles en plein hiver, de Glencoe, juste au sud de Ben Nevis,

jusqu'à Inveraray, près de l'extrémité du Lough Fyne, soit une distance de 64 kilomètres. Il arriva finalement, mais son retard donna un prétexte à ceux qui, à Edimbourg, étaient pour la manière forte dans les Highlands.

Le mauvais rôle fut joué par John Dalrymple de Stair, secrétaire d'état pour l'Ecosse. Il mit au point un plan et le fit

△ *Représentation du XIXe siècle de la mort de MacIan à Glencoe*

▽ *Le défilé de Glencoe en hiver*

Détail de la représentation romantique du massacre de Glencoe par J.B. MacDonald

signer par le roi. Les évènements qui s'ensuivirent ne furent pas accidentels, ce ne furent pas non plus une initiative d'intention relativement innocente qui aurait mal tourné. Le massacre était prévu. Il ne devait y avoir aucune pitié.

Les MacDonald de Glencoe étaient Catholiques de l'eglise de Home. C'étaient aussi gens des montagnes, sauvages et hors-la-loi. Le 1er février 1692 les troupes étaient déployées dans la vallée, officiellement pour non-paiement de taxes. Ce n'étaient pas n'importe quelles troupes, mais celles du régiment du Comte d'Argyll. Les Comtes d'Argyll étaient des Campbells, depuis des siècles ennemis héréditaires des

MacDonald. L'officier commandant était le Capitaine Robert Campbell de Glenlyon. Il dîna avec Maclan le soir du 5 février. A l'aube du lendemain, ses hommes attaquaient les MacDonald qui ne se doutaient de rien et en massacrèrent 38; le résultat n'était pas très satisfaisant puisque les ordres avaient été de tuer toute personne de moins de 70 ans.

Glencoe fut un massacre ordonné par le gouvernement. Les troupes étaient certes celles des Campbell, elles n'en étaient pas moins des troupes régulières, sous commandement militaire, obéissant aux consignes d'une politique nationale. Ce fut cette complicité du Gouvernement qui rendit Glencoe si tristement célèbre. Ce massacre est l'expression de la rancoeur et de la division de l'Ecosse. Le triomphe presbytérien des Lowlands, qui, à première vue pouvait sembler absolu, ne l'était pas vraiment. Il était vulnérable – ou se sentait vulnérable – vis-à-vis de cette société de clans plus traditionnelle qui dominait encore les Highlands. L'hégémonie presbytérienne était plus assurée au sud de la ligne Forth-Clyde; c'était en fait la même frontière culturelle qui était déjà présente à l'époque romaine.

25. L'Acte d'Union

Dans toute l'histoire de l'Ecosse depuis la réforme, la possibilité d'une union entre l'Angleterre et l'Ecosse avait été implicite. La raison pour laquelle elle ne se réalisa pas plus tôt est très simple. La notion en était extrêmement impopulaire parmi la majorité des Ecossais. Ils vivaient des temps difficiles et une anglophobie affleurait toujours. Par exemple, le parlement Anglais passa l'Act of Settlement en 1701 sans référence au parlement écossais alors qu'il déterminait la succession des deux royaumes. Les English Navigation Acts touchèrent durement le commerce écossais. Les Anglais partirent en guerre contre la France en 1701 sans consulter le parlement d'Ecosse, bien que cela signifiât le déploiement de régiments écossais.

Néanmoins, d'autres forces étaient en jeu. D'abord, il y avait la peur mutuelle de la France catholique et la crainte de son soutien aux Jacobites des Highlands – nom donné aux partisans de Jacques VII et de ses successeurs. L'alliance traditionnelle entre les calvinistes écossais et l'Angleterre avaient été renforcée par

Une vue de l'ancien Parlement Ecossais

les Accords qui avaient mis fin à la révolution et qui établissaient le presbytérianisme.

Il y eut aussi l'expérience malheureuse de la Darien Venture dans laquelle des milliers de spéculateurs écossais perdirent leur fortunes dans un

James Ogilvie, premier Comte de Seafield et Chancellier d'Ecosse à l'époque de l'Acte d'Union

imprudent projet de colonisation de Panama pour imiter le très lucratif exemple de la Compagnie des Indes Orientales. Le projet s'effondra en 1700 convainquant de nombreux écossais

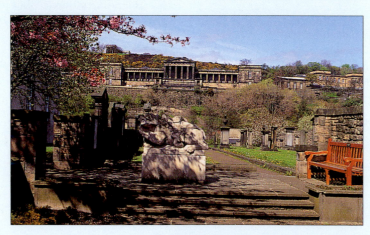

qu'il leur était impossible de prospérer dans le commerce international sans l'accès aux marchés impériaux qu'une union leur apporterait. Une politique commerciale séparatiste semblait vouée à l'échec, surtout compte tenu des obstacles que présentaient les Navigation Acts. Il y avait aussi une brutale réalité: en 1700 l'Angleterre s'appropriait la moitié de toutes les exportations de l'Ecosse.

Sous l'English Act of Settlement, Anne, une protestante et la dernière fille survivante de Jacques VII, succédait à Guillaume d'Orange. Mais elle était sans enfant et le vieux roi – son père – avait un fils que les pays catholiques d'Europe reconnaissait comme l'héritier légitime des trônes d'Angleterre et d'Ecosse. Afin de faire échouer ses prétentions au trône, le parlement de Londres décida que la Reine Anne devrait avoir un protestant comme successeur: ses parents protestants les plus proches étaient les enfants de Sophie, fille de l'électeur de Hanovre, une petite-fille de Jacques VI et Ier. Cet acte assura la succession par la famille de Hanovre en priorité sur le titre plus légitime des Catholiques Stuart.

Les Ecossais des Lowlands se réjouirent de l'acte, mais non de sa déclaration implicite de lien avec l'Ecosse. Le parlement d'Edimbourg passa un Security Act se réservant le droit de légiférer sur la succession écossaise. Pour faire bonne mesure il passa un autre acte Anent Peace and War qui fit de même pour les affaires militaires. A Londres, on était furieux et on riposta avec un Aliens Act qui forçait

La reine Anne

les Ecossais, soit à abroger le Security Act, soit à entrer en négociations en vue d'une union. Autrement, des sanctions limitant le commerce seraient imposées.

Cette menace provoqua une frénésie anti-anglaise en Ecosse mais eut pour effet de précipiter la crise. Elle servit à concentrer l'attention surtout de ces Ecossais qui pensaient que l'union était la meilleure option à long terme. Le problème principal était de préserver la spécificité de l'Ecosse – son sens profond de nation séparée – de la domination anglaise. Il faut dire que les Ecossais pro-unionistes qui firent aboutir les propositions n'étaient qu'une minorité des Lowlands, inspirée par une compréhension lucide des nécessités économiques. Finalement, l'Union de 1707 garantit l'indépendance de l'Eglise d'Ecosse et ne toucha pas non plus aux systèmes des lois et de l'éducation. Une zone de libre échange britannique était créée. Mais l'Ecosse perdait sa souveraineté, son parlement et sa monnaie. Elle était toujours une nation, mais soudain, c'était une nation sans état.

There's an end to an auld sang.

Lord Seafield, the Chancellor, announcing the parliamentary vote for union

Dès le début du 18e siècle, tous les principaux éléments de l'Ecosse moderne étaient en place. Le pays était uni à l'Angleterre dans un nouvel état connu sous le nom de Grande-Bretagne. La succession Hanovre était un fait accompli; celle des Stuart était terminée. L'église d'Ecosse officielle était presbytérienne.

C'est l'Ecosse que nous connaissons et que nous acceptons comme telle. Mais pour les contemporains, cette situation n'était pas seulement nouvelle, elle était aussi potentiellement révocable. Un grand nombre d'Ecossais étaient contre l'union – comme d'ailleurs encore de nos jours -. Beaucoup considéraient les Hanovre comme des usurpateurs étrangers. Leur argument était valable: les Stuart avaient été écartés du pouvoir pour des raisons de nécessité ou de stratégie politique, selon le point de vue.

Les Jacobites écossais voulaient voir la restauration des Stuart. Certains étaient seulement légitimistes croyant à

There's some say that we wan, some say that they wan, Some say that nane wan at a', man; But one thing I'm sure, that at Sheriffmuir A battle there was which I saw, man: And we ran, and they ran, and they ran, and we ran, And we ran; and they ran awa', man!

Murdoch McLennan

ou les épiscopaliens de Moray, irrités par les maladresses de l'église presbytérienne. Tous ces groupes représentaient une menace potentielle pour les nouvelles dispositions. Deux fois dans la première moitié du XVIIIe siècle, en 1715 et 1745, éclatèrent de graves rebellions. Il est important de se souvenir que ces révoltes s'élevaient non seulement contre Londres mais également contre le nouveau régime d'Edimbourg. Londres et Edimbourg

▽ *Le Roi Georges Ier qui fonda la dynastie des Hanovre*

△ *Le Comte de Mar brandit l'étendard jacobite en 1715 sur une représentation du XIXe siècle*

une monarchie légitime de droit divin; d'autres étaient nationalistes et voulaient une dynastie écossaise plutôt qu'allemande. D'autres encore étaient des groupes de pression régionaux comme les catholiques des Highlands

△ *Une représentatin du XIXe siècle de la bataille de Sheriffmuir en 1715*

étaient maintenant main dans la main.

Jacques VII mourut en exil en 1701. Son fils, connu dans l'histoire comme the Old Pretender, – le vieux prétendant – fut reconnu par les Jacobites Écossais sous le nom de Jacques VIII. En 1715, Georges Ier de Hanovre monta sur le trône. Les épiscopaliens du nord-est se soulevèrent et proclamèrent le Roi Jacques VIII. Faisant cause commune avec certains clans des Highlands, une armée fut formée sous le commandement du Comte de Mar, un homme spectaculairement inapte pour le commandement. Bien que le nombre de ses troupes fût deux fois supérieur aux forces de la couronne envoyées contre lui, il réussit à perdre la bataille décisive de Sheriffmuir. Il échoua à coordonner ses actions ou à joindre forces avec les Jacobites anglais qui s'impatientaient. En tout et pour tout, sa rebellion était terminée avant même que l'Old Pretender fût arrivé à Peterhead juste avant Noël. Jacques séjourna en Écosse pour quelques semaines avant de retourner clandestinement en France. Il ne revint jamais.

La révolte de 1715 représentait une sérieuse menace pour les Accords de la révolution. L'ineptie de Mar en masqua le danger. Le chef des forces de la couronne, le 2e Duc d'Argyll pensait que neuf Écossais sur dix soutenaient la révolte, une exagération sans doute, mais qui n'en était pas moins significative. Une campagne plus décisive aurait pû faire cause commune avec les jacobites anglais et aurait obtenu l'aide militaire de la France.

Mais, détail révélateur, Jacques the Old Pretender, était catholique et il ne

△ *Le château du XIIIe siècle de Kildrummy, à 16 km d'Alford, qui fut le siège du Comte de Mar. Il fut détruit après la révolte manquée de 1715*

montrait aucune inclination à changer de religion, même pour l'épiscopalisme. Les forces en jeu en Ecosse en 1715 étaient étonnamment similaires à celles de 1560. Les Calvinistes des Lowlands tenaient à l'alliance anglaise comme étant leur meilleure protection: cette alliance était maintenant consolidée par l'union. Ils étaient après tout le coeur de la nation. Trop d'évènements s'étaient passés en Ecosse depuis un siècle et demi pour qu'un roi Catholique soutenu par les Francais puisse jamais regagner le trône sans provoquer une guerre civile. Les Accords de la révolution étaient encore un peu vascillants mais ils avaient survécu leur première épreuve importante. Ils allaient devoir faire face à une autre.

27. BONNIE PRINCE CHARLIE

Charles Edouard Stuart était le fils du Old Pretender. En juillet, il abordait sur les Hébrides extérieures, levait une armée dans les Highlands, proclamait son père roi et parcourait l'Ecosse. Il était jeune, beau et brave – le personnage romantique par excellence. Cette auréole de romantisme le suivit jusqu'à la fin bien que son aventure se terminât en tragi-comédie.

Bonnie Prince Charlie

Soldats écossais des Highlands d'après un gravure de 1786

Les évènements de 1745 n'auraient jamais dû se produire. Il n'y avait aucun soutien francais. Une invasion prévue pour l'année précédente avait été abandonnée. Les Accords de la révolution avaient pris racine. Pourtant le jeune prince remporta un succès fulgurant. Deux mois après son arrivée, il avait déjà quitté sa base des Highlands, battu à plates coutures l'armée du gouvernement à Prestonpans et occupé la ville d'Edimbourg, à l'exception du château qui, tout comme un certain nombre de forts des Highlands, ne tomba jamais aux mains du prince.

Le 4 décembre, il était déjà arrivé à Derby dans le sud, à un peu plus de 200 km seulement de Londres. Il tentait en effet de revendiquer pour sa famille les trônes des deux royaumes. Son armée de highlanders ne comptait pas plus de 5 000 hommes et pendant leur marche vers le sud il n'obtinrent aucun soutien supplémentaire. Le gros de l'armée britannique de 62 000 hommes était sur le continent en guerre contre les Français. Mais, petit à petit, le gouvernement de Londres commença à mobiliser ses forces et les généraux jacobites devaient s'incliner devant l'inévitable. A Derby ils décidèrent de battre en retraite. Comment pouvaient-ils espérer capturer et tenir un royaume entier avec 5 000 hommes?

Ce n'était pas seulement en Angleterre que le Prince manquait de soutien populaire. Dans toutes les villes des Lowlands qu'il occupa, il imposa des gouverneurs militaires plutôt que de tenir de nouvelles élections de bourgeois. Le clergé presbytérien prêchait des sermons loyalistes même pendant l'occupation. Le 30 octobre, jour anniversaire du Roi Georges II, les gouverneurs jacobites de Dundee et de Perth furent attaqués par des groupes d'émeutiers partisans des Hanovre.

Dans les Lowlands, il n'y eut guère d'enthousiasme populaire pour Charles et il se retira dans les Highlands. Déjà, son armée souffrait de désertions: il était clair que la partie était jouée. La triste fin se produit le 16 avril 1746 à Culloden Moor, près d'Inverness quand les troupes du gouvernement sous le commandement du deuxième fils du roi Guillaume, Duc de Cumberland, anéantirent les highlanders dans la dernière bataille rangée sur le sol britannique. Le prince s'échappa, sauvant ainsi sa tête mais laissant les membres de ses clans à la merci de la vengeance du brutal Cumberland. S'ensuivit un affaiblissement dramatique des clans des Highlands: les chefs se virent priver de leurs pouvoirs traditionnels, des chaumières furent incendiées, les habitants furent emprisonnés et déportés, les récoltes et le bétail furent confisqués. C'était la destruction systématique d'un mode de vie immémorial. Nulle part cette agression ne fut plus chaudement applaudie que dans les villes des Lowlands.

Charles Edouard Stuart fut pourchassé dans les Highlands et les îles par les troupes de Cumberland mais sans succès. Il s'échappa finalement, déguisé en Betty Burke – une servante irlandaise – dans le bateau de l'héroïque Flora MacDonald qui l'emmena à la rame jusqu'à Skye. De là, il s'enfuit vers la France. Il vécut encore 43 années inutiles, alcoolique malheureux qui ne cessa de se plaindre des highlanders qu'il avait abandonnés si facilement et qui avaient souffert si cruellement pour sa cause.

Flora MacDonald

Une impression de l'époque de la bataille de Culloden

28. L'AGE DES LUMIÈRES

La victoire de Culloden confirma définitivement les Accords de la révolution et acheva le triomphe des Lowlands sur les Highlands. L'Old Pretender mourut en 1766, après quoi le Pape, choisissant le réalisme, refusa de reconnaître Charles Edouard Stuart comme roi.

S'ensuivit une période d'explosion d'énergies créatrices dans les Lowlands, venue de la sécurité de la victoire, et appelée l'âge des lumières écossais.

△ Le piton rocheux et le château d'Edimbourg

▽ Robert Burns dans un salon littéraire à la mode d'Edimbourg

Tout était centré sur Edimbourg qui comptait au XVIIIe siècle un nombre extraordinaire de sociétés érudites et scientifiques. Elles contribuèrent toutes à l'exceptionnelle vie intellectuelle qui caractérisait alors la capitale écossaise. L'Europe possédait de nombreuses capitales régionales connues pour la vitalité de leur vie intellectuelle et sociale, mais même les contemporains reconnaissaient la suprématie d'Edimbourg.

Les causes en sont diverses: d'abord, la tradition de lecture dans les Lowlands qui venait de l'obligation protestante de lire la Bible; ensuite, le pays possédait quatre universités anciennes de haute réputation: St Andrews (fondée en 1412), Glasgow (1451), Aberdeen (1495) et Edimbourg (1583); enfin, l'Ecosse du XVIIIe siècle possédait une aristocratie et une bourgeoisie cultivées: les systèmes indépendants de l'église, des lois et de l'éducation offraient un exutoire à leurs énergies. Il n'y eut pas d'hémorragie intellectuelle vers l'Angleterre ou l'étranger avant le XIXe siècle.

De plus, l'Ecosse avait tout simplement de la chance. Un tout petit pays qui, en quelques générations, avait produit des talents de réputation

Adam Smith, auteur de la Richesse des Nations

internationale aussi extraordinaires que David Hume, Robert Adam, Thomas Telford, James Boswel, Robert Burns, Adam Smith, James Watt et Walter Scott, pouvait se considérer comme favorisé. Mais de plus, il y eut une abondance d'autres fins talents. Le juriste Francis Jeffrey fonda le Edinburgh Review en 1802, l'une des revues les plus influentes dans la Grande-Bretagne du XIXe siècle. Allan Ramsay (1684-1758) était un éditeur et un poète d'envergure et le personnage littéraire le plus important de la génération précédant Burns. Même le personnage tragi-comique de James Macpherson, l'imposteur qui prétendit avoir traduit l'oeuvre de l'ancien poète celte, Ossian (la plus grande partie était de son invention), faisait partie de cette athmosphère frénétiquement énergique.

Le témoignage le plus notoire de cet âge des lumières écossais fut la construction de la Nouvelle Ville d'Edimbourg, commencée en 1767 sur les plans de l'architecte James Craig. Le Nor'Loch, un marécage qui se trouvait au nord de la ville médiévale, fut drainé et construit. La nouvelle ville est l'ensemble architectural géorgien (nommé d'après les rois Georges d'Angleterre) le plus grand et le plus harmonieux du monde. Sa beauté sévère n'a son pareil nulle part ailleurs. Comme à Dublin et à Bath, il prend les éléments du style georgien et les adapte de façon unique selon les impératifs du paysage et de la pierre locale. Le résultat est un trésor d'unité architecturale.

Edimbourg était aussi la manifestation de la nouvelle position de l'Ecosse dans le monde pendant la deuxième partie du XVIIIe siècle. La nouvelle ville avait été construite pour loger l'élite écossaise dont la vie était encore fermement centrée sur Edimbourg. Pourtant le style qu'elle adopta était international et cosmopolite avec des variations locales. Un peu comme la Hongrie au sein de l'empire Habsbourg, l'Ecosse sut garder sa personnalité intrinsèque bien définie dans une entité plus large.

Mais son développement nécessitait aussi cette large entité

Charlotte Square à Edimbourg

voisine. L'alliance anglo-Lowlands qui mena finalement à l'Acte d'Union donna aussi sa toponymie à la Nouvelle Ville d'Edimbourg. Princes Street – la rue des Princes – rappelle les fils du Roi Georges III; Queen Street et Charlotte Square furent choisi pour sa femme; George Street pour le roi lui-même. Hanover Street porte le nom de la dynastie que certains Ecossais n'acceptèrent qu'avec réticence mais dont les les habitant des Lowlands ne remirent pas vraiment en question la légitimité.

29. LES EXPULSIONS

À la suite de la défaite de Culloden on vit l'anéantissement de l'ordre ancien de clans des Highlands. De nombreux chefs de clans furent exilés, d'autres expropriés. C'était une attaque de plein fouet pour l'ancien système fondé sur le principe de la propriété foncière, possession commune administrée par le chef au nom des membres du clan et de leurs descendants. La loi des Lowlands ne reconnaissait pas un tel système de propriété. Elle traitait les chefs, ni plus ni moins, en propriétaires terriens.

Les rives de la Naver, site de célèbres expulsions

Le demi-siècle qui suivit Colloden fut aussi un âge de progrès agricole. De nouveaux principes d'agriculture capitaliste étaient à la mode, favorisant une utilisation plus rentable de la terre, une amélioration du rendement des récoltes et des méthodes modernes de culture et de fertilisation. La terre était considérée comme une ressource à exploiter et non comme un héritage à préserver.

Pour que cette conception dynamique de propriété foncière fût couronnée de succès, il fallait des propriétaires et des intendants énergiques. Elle était incompatible avec une considération plus traditionnelle de la terre. Toutefois, avec la fin de l'ordre ancien de clans, se présenta l'occasion d'expérimenter les nouvelles théories. Non seulement furent-elles adoptées par les nouveaux propriétaires des Lowlands ou les Anglais, mais nombreux furent également les chefs survivants qui surent reconnaître que les temps avaient changé. Eux aussi commencèrent à se comporter comme les propriétaires terriens qu'ils étaient devant la loi.

Les expulsions des Highlands avaient pour but de déplacer les populations en surnombre pour rendre possible une exploitation de la terre plus efficace et plus rentable. Il y eut deux formes de déplacements. La première était le mouvement des fermiers de l'intérieur vers la région côtiere d'un grand domaine afin de pouvoir dégager les vallées fertiles qui composaient pratiquement toutes les bonnes terres dans les Highlands. Sous le système des clans, les vallées avaient été utilisées comme terres labourables pour la production de nourriture. Elles étaient maintenant consacrées à l'élevage des moutons tout comme de vastes étendues des Highlands. De tous les principes d'agriculture nouvelle essayés à la fin du XVIIe siècle, l'élevage des moutons se révéla le plus rentable. Mais il ne l'était que s'il était fait à grande échelle. Il ne nécessitait également que peu de main-d'oeuvre. En conséquence, il fallait

Le mouton à tête noire qui a remplacé les paysans expulsés des Highlands

déplacer un grand nombre de personnes pour avoir un grand nombre de moutons.

La deuxième forme de déplacement était la simple migration vers l'économie florissante des Lowlands où la révolution industrielle commençait à se développer, ou encore, l'émigration vers l'étranger. De nombreux émigrants partirent volontairement profitant des projets d'émigration assistée institués par les propriétaires. Nombreux aussi ceux qui furent forcés de partir.

La plus notoire des expulsions fut celle des vastes domaines d'Elisabeth, Comtesse de Sutherland. Elle suivit la politique d'évacuation avec une application cruelle, aidée par son tristement célèbre régisseur Patrick Sellar. A Strathnaver, Sellar expulsa tous ses fermiers de la rive droite de la rivière Naver et incendia leurs maisons. Dans la vallée de Kildonan, la Comtesse poursuivit une politique similaire avec tant d'efficacité qu'entre 1811 et 1831 la population tomba de 1 574 à 257.

Ce sont ces exemples d'avidité cruelle qui alimentent la mémoire populaire des expulsions. Le fait que les propriétaires étaient souvent étrangers, de sang ou de religion – qu'ils soient Anglais ou des Lowlands – n'aida pas. Le ressentiment le plus amer fut toutefois réservé aux chefs de clans devenus propriétaires nouveau style. Ils étaient accusés d'avoir sacrifié l'héritage d'antan.

Loch Hope et Ben Arkle dans le Sutherland - paysage typique après les expulsions des Highlands

Le bilan des évacuations fut le dépeuplement de l'intérieur des Highlands et leur transformation en immenses pâturages à moutons. Entre 1780 et 1850, la période principale des expulsions, les habitants des Highlands avaient été déplacés vers les côtes et les îles, vers les Lowlands industrialisées ou vers l'étranger. Cela sonnait le glas d'un mode de vie communautaire qui remontait aux Pictes.

Dunrobin, château de la Comtesse de Sutherland

30. LA RÉVOLUTION INDUSTRIELLE

La révolution industrielle fut l'aboutissement de développements technologiques. D'abord, des artisanats traditionnels comme de filage et le tissage furent mécanisés créant les bases d'une industrie textile moderne. Ensuite, vers 1780 James Watt developpa un moteur à vapeur efficace, source d'énergie qui pouvait être exploitée pour la production de masse. Enfin, le développement d'un système de production centralisée en usines eut pour conséquence l'extraordinaire essor des villes industrielles.

L'Ecosse des Lowlands avait l'énorme avantage de posséder d'abondantes réserves de charbon et de fer. Celles-ci étaient concentrées dans le sud-ouest et leur importance pour les premiers développements industriels explique l'expansion phénoménale de Glasgow qui devint l'une des grandes villes britanniques du XIXe siècle.

Les gisements houillers de Lanarkshire étaient les plus riches et les plus rentables de tous les gisements écossais. L'industrie minière écossaise connut une expansion spectaculaire pendant tout le XIXe siècle, produisant plus de 40 millions de tonnes de charbon à la veille de la Grande Guerre et employant plus de 150 000 hommes.

Le charbon et le fer étaient intimement liés, l'un procurant la source d'énergie pour les fonderies qui produisaient l'autre. La production principale était la fonte brute, produit le plus commun des fonderies. Les maîtres fondeurs hésitaient à développer les procédés d'affinement qui produiraient des fers forgés plus

△ Les houillères de Lanarkshire

▽ Le grand ingénieur James Watt

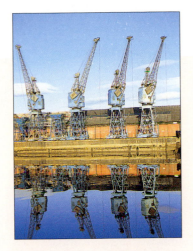
Un chantier naval sur la Clyde

1820. Il fonda son propre chantier à Govan en 1841. Parmi ses meilleurs employés se trouvaient les frères James et Georges Thomson qui ouvrirent leur propre chantier à Finnieston en 1847. En 1899, les Thomson étaient rachetés par l'acierie de John Brown de Sheffield. Huit ans plus tard, Brown acquit la moitié des parts du chantier de Harland & Wolff à Belfast qui allait devenir le plus grand chantier naval du monde. Et cela moins de 80 ans après la fondation de l'entreprise de Napier.

Ce creuset d'expansion industrielle

résistants et, plus tard, de l'acier. Ce fut, à long terme leur faiblesse, mais pendant trois générations l'Ecosse fut l'un des premiers producteurs mondiaux de fonte, destinée pour la plus grande part à l'exportation.

La présence de fer et de charbon

> *There are few more impressive sights in the world than a Scotsman on the make.*
>
> **Sir James Barrie**

facilita le développement de la troisième grande industrie écossaise: la construction navale. Un pays aux côtes aussi découpées et dont l'histoire avait été si influencée par la mer se devait d'avoir une tradition de construction navale. L'expansion qu'elle connut au XIXe siècle en fit l'une des grandes aventures industrielles du monde. Les chantiers de la Clyde furent les premiers à construire des bateaux de fer dans les années 1840, et pendant tout le siècle, ils furent aux premiers rangs des progrès d'ingéniérie maritime.

L'histoire de la construction navale en Ecosse peut être suivie à travers l'histoire d'une société. David Napier, ingénieur connu, s'était fait un nom vers

Les Gorbals, le tristement célèbre quartier pauvre de Glasgow

attira une main-d'oeuvre venue des campagnes, des Highlands et d'Irlande. A la fin du 19e siècle, un nombre important d'Irlandais s'étaient établis dans la région de Glasgow; cette minorité catholique fut à l'origine de brutales rivalités sectaires qui persistent encore de nos jours dans l'atmosphère empoisonnée des matchs de football Rangers-Celtic. Cela eut aussi pour conséquences d'horribles conditions de vie pour les très pauvres, symbolisées par les célèbres *Gorbals*, quartier pauvre de Glasgow – un trou sans fond d'héroïsme humain et de misère qui n'eut guère d'équivalent dans le monde développé.

31. LE VINGTIÈME SIÈCLE

A la fin du XIXe siècle, l'Ecosse envoyait généralement à Westminster une majorité de députés Libéraux, tendance qui connut son apogée aux élections de 1906 au cours desquelles les Libéraux d'Ecosse remportèrent 58% des votes. Après ce succès, en Ecosse comme dans le reste de la Grande-Bretagne, les Travaillistes remplacèrent petit à petit les Libéraux comme le principal parti politique anti-conservateur.

La révolution industrielle vit l'apparition, en Ecosse, d'une énorme classe ouvrière. En 1888, James Keir Hardie (1856-1915) fonda le Parti Travailliste Ecossais qui fit partie du Parti Travailliste Indépendant fondé à Sheffield en 1893 avec Keir Hardie comme premier leader; il avait été élu député à la circonscription de Londres l'année précédente. En 1906, Le Parti Travailliste lui-même fut fondé sous la direction, une fois de plus, de Hardie. En 1911, il fut remplacé par James Ramsay

Keir Hardie

MacDonald, un autre Ecossais qui en 1924 devint le premier Premier Ministre Travailliste du Royaume-Uni.

Les progrès travaillistes étaient très nets en Ecosse à la veille de la Grande Guerre. Au cours des élections de 1922, 10 des 15 sièges de Glasgow furent remportés par le parti. La ville avait été traditionnellement libérale, mais le syndicalisme radical et la politique marxiste la transforma en un foyer d'activité gauchiste. Pendant les années 1915-1922 les activités des Red Clydesiders (les Rouges de la Clyde) – avec des organisateurs et des orateurs comme John Maclean, William Gallacher et James Maxton – terrifièrent les éléments les plus respectables de la société écossaise avec le spectre de la révolution. Début 1919, une grève générale rapidement organisée menaça la ville de paralysie jusqu'à ce que la police utilisât la manière forte et que l'armée arrivât avec ses tanks.

C'était le grand tournant de l'agitation socialiste, naïve ou héroïque selon le point de vue duquel on se place. Après cela, le

Ramsay MacDonald

parti Travailliste resta la principale force anti-Tory en Ecosse mais il faut souligner que jusqu'en 1955 le Parti Conservateur possédait le plus grand nombre de sièges parlementaires. Depuis, les Travaillistes dominèrent la scène politique écossaise.

Le soutien dont le parti travailliste national à besoin en Ecosse – de même qu'au Pays de Galles et dans le Nord de l'Angleterre – pour atteindre une majorité nationale, lui vient de son association occasionnelle à la question nationaliste écossaise. Pendant de nombreuses

La découverte de pétrole au large des côtes écossaises a transformé l'économie

années, le parti était pour le Home Rule écossais. Il abandonna cette ligne d'action en 1958. La cause fut reprise par le Parti National Ecossais qui, nouvellement reformé, mena campagne pour l'indépendance intégrale. Il remporta quelques succès spectaculaires aux élections législatives partielles aux dépens des Travaillistes, à la fin des années 1960 et au début des années 1970, qui forcèrent Westminster à proposer un référendum de devolution (décentralisation) en 1979. Les Travaillistes qui craignaient avec raison la force potentielle du SNP –Parti National

Ecossais – inclurent une clause par laquelle une simple majorité ne serait pas suffisante: 40% de l'électorat total devrait être en faveur des propositions. Les Oui obtinrent une majorité simple, mais pas les 40% requis. Peu après, Margaret Thatcher prit le pouvoir et la question devint rhétorique.

Cela fut le cas jusqu'à la victoire écrasante des Travaillistes aux élections législatives de 1997. Quatre sur cinq Ecossais votèrent pour une certaine forme de changement constitutionnel. Les Conservateurs furent complètement écrasés en Ecosse bien qu'ayant remporté 18% des suffrages. Six députés SNP – Parti National Ecossais – furent élus pour leur programme d'indépendance intégrale. Le Parti Travailliste, avec 56 sièges en Ecosse, et une énorme majorité nationale, prit la tête du gouvernement et nomma Donald Dewar comme Secrétaire Ecossais responsable de tenir la promesse électorale d'une assemblée décentralisée. La forme de cette assemblée est encore indéfinie au moment de la mise sous presse; toutefois, il est clair que les Ecossais s'attendent à une certaine forme de décentralisation. En cette fin du vingtième siècle, les rapports entre l'Ecosse et le reste de la Grande-Bretagne sont de nouveau d'une importance capitale. Tout comme ils l'ont toujours été.

Une affiche du Parti National Ecossais

INDEX

Act of Security (1704) 57
Act of Settlement (1701) 56, 57
Act of Union (1707) 56, 57
Adam, Robert 63
Agricola, Gnaeus Julius 11-13, 15
Albany, Duc d' 34, 35
Alexandre II 27
Alexandre III 27
Antonin le Pieux 13
Antonin, le mur d' 13
Auld Alliance 34, 36, 37, 39, 40
Baliol, Edouard 32
Baliol, Jean 27, 29, 31, 30, 34
Bannockburn, bataille de 30, 31, 32
Beaton, Cardinal 39
Bennachie, bataille de 12
Bonnie Prince Charlie, voir Stuart,
    Charles Edouard
Boswell, James 63
Bothwell Bridge, bataille de 51
Bothwell, Comte de 43
Broch de Birsay 10, 14
Brogar, cercle de pierres levées de 9
Bruce, Edouard 31
Bruce, Robert voir Robert
Brude mac Maelchon 16
Burns, Robert 62, 63
Cairnpapple, colline de 9
Campbell, Archibald, Comte d'Argyll 50
Campbell, Capitaine Robert 55
Carberry Hill, Edimbourg 43
Carham, bataille de 22
Charles Ier 46-50
Charles II 50, 51
Claudius 11
Confession of faith 41
Craig, James 63
Cromwell, Olivier 49-51
Culloden, bataille de 61, 62, 64
Cumberland, Guillaume, Duc de 61
Dalrymple de Stair, John 54
Darien Venture, la 56
Darnley, Lord (Henri Stuart) 42, 43
David 1er 26
David II 32, 33
Déclaration d'Arbroath 32
Dewar, Donald 69

Dunadd 15, 18
Dunbar, bataille de (1650) 50, 51
Dunbar, bataille de (1296) 29
Duncan 1er 22
Dundee, Lord 53
Dunfermline 22
Dunkeld 18
Edinburg Review 63
Edouard 1er 18, 27-31
Edouard II 31
Edouard III 32, 33
Edouard VI 39
Elgin, cathédrale de 26, 27
Elisabeth I 40, 43, 45
Falkirk, bataille de 31
Féodalité, la 24, 25
Five Articles of Perth 46
Flodden, bataille de 36-38, 45
Forfar 15
Gallacher, William 68
Georges Ier 58, 59
Georges II 61
Georges III 63
Glencoe 54, 55
Golden Act, le 45, 46
Guillaume II et III 53, 54, 57
Guillaume le Lion 28
Haakon 27
Hadrien, le mur d' 12, 13
Hallidon, colline de, bataille de la 32
Hamilton, Patrick 38
Hardie, James Keir 68
Henri II 28
Henri VII 36; 37
Henri VIII 36, 38, 39
Holyrood, le Palais de 26, 42, 43
Hume, David 63
Inverness 16
Iona 14, 16, 17, 19
Jacques Ier 34, 35
Jacques II 35, 36
Jacques III 35, 36
Jacques IV 35, 36
Jacques V 38
Jacques VI et I 43, 44-47, 57
Jacques VII et II 52, 53, 56, 57, 59
Jeffrey, Francis 63

Kenneth Ier (Kenneth MacAlpin) 18, 19, 22, 27
Kenneth III 22
Killecrankie, bataille de 53
Kirk o'Field, Edimbourg 43
Knox, John 39-45, 47
Langside, bataille de 43
Largs, bataille de 27
Laud, Archevêque de Canterbury 47
Lauderdale, Comte de (John Maitland) 51, 52
Leslie, Alexandre 48, 49
Lindisfarne 18
Linlithgow, palais de 36
Loch Leven 43
Lochgilphead 18
Lords of the Congregation 40, 41
Luther, Martin 37
Macbeth 22
MacDonald, Flora 61
MacDonald, James Ramsay 68
MacDuff de Fife 29
Maclan de Glencoe 54, 55
Maclean, John 68
Macpherson, James 63
Maes Howe, 8
Malcolm Ier 22
Malcolm II 22
Malcolm III, Malcolm Canmore 22-25
Mar, Comte de Mar 58, 59
Marie de Guise 36, 38-41
Marie, Reine d'Ecosse 39, 40, 42, 43, 44
Marston Moor, bataille de 49
Maxton, James 68
Melville, Andrew 44-47
Mons Graupius 12
Montrose, Marquis de (James Graham) 48, 49
Morton, James 43
Mousa 11
Napier, David 67
Naseby, bataille de 49
Nechtansmere, bataille de 15
Old Pretender (Jacques VIII) 59, 62
Parti National Ecossais, le 69
Philiphaugh, bataille de 49
Pierre du Destin (de Scone) 18, 29

Pinkie, bataille de 39
Prestonpans, bataille de 60
Pucelle de Norvège, la 27, 28
Raid de Ruthven 44
Ramsay, Allan 63
Reine Anne 57
Reine Henriette Marie 47
Reine Marguerite 22, 23
Révolution glorieuse, la 53
Rizzio, David 42, 43
Robert (Bruce) 1er 30-33
Robert (Stuart) II 33, 34
Robert Bruce d'Annandale 27, 29, 30
Robert III 35
Rutven, William 43
Scone 18, 35, 50
Scott, Sir Walter 63
Sellar, Patrick 65
Sharp, James, Archevêque de St Andrews 51
Sheriffmuir, bataille de 59
Skara Brae 8, 9
Smith, Adam 63
Solemn League and Covenant 49
Solway Moss, bataille de 39
St Andrews 31, cathédrale 26, château 39
St Augustin 17
St Colomba 16-18
St Giles, cathédrale, Edimbourg 26, 42, 46, 47
St Ninian 16
Stirling Bridge, bataille de 31
Stirling, château de 31, 36, 37, 43
Stuart, Charles Edouard (Bonnie Prince Charlie) 60, 61
Sutherland, Elisabeth, Comtesse de 65
Synode de Whitby 17
Tacite 12,13
Telford, Thomas 63
Test Act, le 52, 54
Thatcher, Margaret 69
Traité de Northampton 32
Wallace, William 31
Watt, James 63, 66
Wishart, Georges 39
Worcester, bataille de 50

CREDITS